# TANT D'AMOUR
# PERDU

ŒUVRES DE GILBERT CESBRON

*DANS PRESSES POCKET :*

LA REGARDER EN FACE
TANT D'AMOUR PERDU

# GILBERT CESBRON

# TANT D'AMOUR PERDU

ÉDITIONS ROBERT LAFFONT

© Éditions Robert Laffont, S.A., Paris, 1981

ISBN 2-266-01336-X

*Pour Pierre-Arnaud
en souvenir
de son grand-père
D. C.*

# LE COUTEAU ET L'ALLIANCE

LES mains du garçon boucher, on aurait dit deux
bêtes jumelles, ensanglantées, acharnées à en dépecer
une troisième. Simon s'était glissé dans la file des
clients et ne le quittait pas des yeux. D'un côté du
comptoir, il y avait ces femmes au visage fermé,
recluses sur leur cabas et leur porte-monnaie, nulles ;
de l'autre, vêtu de bleu et de blanc, maculé de rouge,
bouclé, vermeil, sultan, bourreau, le garçon boucher.
Sa désinvolture pesante pour envelopper la viande, la
jeter sur la balance, en évaluer le prix d'un regard
soudain vif, l'énoncer sans conteste... Simon lui trouvait des manières de roi. D'empereur, plutôt. « Je suis
cent fois plus intelligent que lui », pensa-t-il pour se
consoler ; mais il savait très bien que jamais il n'aurait
cette force, cette aisance, cette placide supériorité,
jamais. L'homme venait de décrocher un fragment de
cadavre, entre rose et rouge, gainé de fibre nacrée,
tamponné de cachets violets. Il l'avait jeté sur l'établi
que l'on grattait au racloir en fin de journée et qui en
restait tout vallonné. D'une fente du meuble, comme
d'une blessure, il sortit le couteau de l'ogre qu'il aiguisa
contre un long fusil avec une prudence provocante, en
regardant ailleurs, comme le font les prestidigitateurs.
Puis il évalua mentalement le poids de ce qu'il allait
trancher d'un coup. (Silence, sourcils froncés, tous les
regards faussement indifférents convergeant sur lui —
et Simon fasciné.) Il trancha, d'un coup ! Puis il jeta

9

l'une des moitiés pantelantes sur le plateau de la balance — « Ça fait juste les trois livres. Je vais vous la préparer... » Il enfonça sans égards le croc de métal dans l'autre moitié (qui, d'être délaissée, parut soudain un peu plus morte) et, d'un geste de Barbe-Bleue, la suspendit parmi d'autres victimes. Puis les deux mains se mirent à l'ouvrage, dépiautant, désossant, changeant d'outil, opérant avec tantôt une brutalité aveugle, tantôt une minutie de chirurgien. Cette chair complaisante et comme à demi vivante, elles la connaissaient mieux qu'elle-même, comme un amant habile sait mieux que l'autre les secrets d'un corps qui s'abandonne à lui. Et, comme lui, elles paraissaient à la fois l'aimer et la détester, l'exalter et l'humilier. Elles la mutilaient et, en même temps, lui donnaient forme peu à peu avec une violence attentive. Et le sang, exsudé par ces arrachements et ce pétrissage, couvrait les grosses mains qui, depuis le début, maniaient des lames si tranchantes (et si imprudemment) qu'on ne savait plus si elles ne s'étaient pas blessées à ce jeu ni d'où provenait tout ce sang, de la victime ou du bourreau, ou bien des deux en de cruelles noces. D'ailleurs, une alliance d'or brillait à l'un des doigts épais, brillait au cœur de ce répugnant sacrifice — parmi la viande, les déchets, les couteaux et tout ce sang répandu, une alliance d'or. Simon, qui venait de l'apercevoir, en demeura bouche bée. Les yeux fixés derrière les lunettes rondes, la mâchoire pendante, cadavre lui-même, n'était cette grande envie de vomir, et aussi de fuir mais sur quelles jambes ? Les siennes ne le portaient plus — comme lorsqu'il s'adonnait à ce que M. l'abbé de Mestre appelait « le plaisir solitaire ». Cette exaltation suivie d'un dégoût absolu, ce sentiment de puissance puis, aussitôt après, de nullité — n'était-ce pas cela même qu'il éprouvait en ce moment ?

Le boucher dut sentir peser sur lui ce regard ininterrompu. Il chercha, des yeux, dans la file d'attente. (Les mains de sang s'étaient immobilisées, comme des pugilistes durant la pause.) Il aperçut enfin Simon.

— Dis donc, le môme, tu veux que je te donne ma photo ?

La cour, les bâtiments, les arbres mêmes de l'Institution Saint-Louis dataient d'un autre siècle. Brusquement ce fut la sortie, et ils redevinrent actuels. La grande bâtisse grise se vidait de toutes parts comme un corps malade. Le fleuve de cris, de chants, d'appels, grossi d'affluents issus des classes annexes, inonda la cour, franchit non sans tourbillons la grille étroite et se déversa dans la rue. Tous les enfants parlaient à la fois. Quand l'un deux, avec leur brusquerie coutumière, se baissait pour renouer son lacet, les autres butaient contre ce rocher, tombaient, l'injuriaient. Puis ce fleuve devint la Loire : s'étala, s'étira, se divisa. Des clans se formèrent, ceux des amateurs de billes, des échangeurs d'illustrés, et toutes sortes de conspirations que ne traversaient pas impunément les joueurs d'Epervier ou de Balle au chasseur. On se regroupait par taille : les petits retrouvaient leur allure naturelle, la course ; et les grands faisaient cercle pour allumer des cigarettes avec des gestes d'acteurs de cinéma.

Poursuivi par d'autres Indiens, le petit David L. crut trouver refuge dans l'un de ces cercles.

— Petit con ! fit un grand qu'il avait bousculé au moment où il essayait en vain de faire fonctionner son briquet.

C'est le briquet qui méritait l'injure ; ce fut David qui la reçut en même temps qu'une gifle.

— Ils sont chiants, ces gosses, fit un autre en lui allongeant un coup de pied. (Le prof lui avait fait une observation humiliante et il n'avait pas encore trouvé sa revanche.)

Deux ou trois autres grands se prirent au jeu, et David, telle une araignée attaquée, se roula en boule, protégeant sa tête de ses deux bras.

— Dites, vous allez lui foutre la paix, cria Simon D. Et, comme les autres grands continuaient à rouer le gosse de coups, il jeta sa cigarette, mit ses lunettes dans sa poche et fonça dans le tas qui devint une mêlée. Une fois, il avait cassé ses verres dans une bagarre de cour ; depuis, il commençait par les retirer, ce qui l'empêchait d'évaluer le danger et lui conférait un grand courage. Le petit David en profita pour se glisser entre les jambes comme un ballon de rugby et rouler un peu plus loin ; de là, prêt à détaler, il surveilla la mêlée. Quand ils s'avisèrent que l'enjeu avait disparu et qu'ils se battaient entre eux, entourés d'un cercle narquois de petits, les grands arrêtèrent les frais sur-le-champ.

— Bande de petits cons, vous allez vous tailler, oui ?

Les petits cons s'envolèrent en riant, avec la crainte et le secret espoir, aussitôt déçu, d'être poursuivis.

— Ça te prend souvent ? demanda l'offensé à Simon. Qu'est-ce que tu as à foutre de ce petit merdeux ?

— Ça te regarde ?

— Laisse-le, fit un autre en cueillant une cigarette à même le paquet comme il l'avait vu faire à l'écran, il doit coucher avec lui !

La cigarette, le paquet et la paire de lunettes (le garçon en portait, lui aussi) volèrent dans trois directions différentes : Simon l'avait déjà frappé trois fois. Il essaya de riposter, mais la fureur était dans l'autre camp et, bien qu'il fût le plus fort, il reculait pas à pas. Les autres, heureux d'assister à un vrai match, se gardaient d'intervenir et se contentaient d'encourager le plus fort, insupportable race des *supporters*. Il fallait, pour sauver la face, une intervention extérieure ; ce fut un chauffeur de poids lourds qui fit exprès de frôler le groupe et cria :

— Sacrés cons, vous pourriez vous foutre ailleurs que dans la rue pour faire vos conneries !

« Toujours ce mot, pensa le petit David. Je ne l'ai jamais entendu à la maison... mais pourquoi ce grand m'a-t-il défendu ? »

Il croyait, jusqu'à ce matin, que les grands formaient un clan sans faille et les petits, pour la vie entière, un troupeau résigné et sournois ; mais son monde venait de basculer. Il courut à Simon.

— Tu saignes du nez ! Viens à la maison, j'habite à côté, maman te soignera.

« Moi aussi, j'habite à côté, pensa le « grand » (il n'avait pas treize ans). Mais ma mère ne sera pas là ; ma grand-mère ne sortirait pas de sa chambre et de sa radio, même si j'étais mort ; et ma sœur commencerait par m'engueuler ! »

En chemin :

— Moi, je m'appelle David L. Je suis en septième.

— Simon D., troisième. Tu ne devrais pas venir embêter les grands, reprit-il après un moment.

— Mais je jouais !

Comment aurait-il pu imaginer que cette réponse bouleversait le grand ? David poursuivit donc sa marche de son pas de petit enfant qui restait mystérieusement accordé, deux pour un, à celui de sa mère, en sautant sans raison de temps en temps, d'un pied sur l'autre, et la tête levée (« Regarde donc devant toi quand tu marches, mon poulet ! ») à l'affût d'un oiseau, d'un avion, d'un nuage. Simon observait ce profil naïf, cette bouche entrouverte, ces longs cils, cette toison qu'une main hâtive *redésordonnait* harmonieusement chaque fois que le vent s'en mêlait, cette peau intacte. La sienne était devenue rugueuse depuis peu : boutons, duvet, rasages clandestins et maladroits avec l'ancien rasoir de son père qu'il avait volé dans le cabinet de toilette de sa sœur Denise — à quoi pouvait-il bien lui servir ? Son profil à lui, il venait en prendre connaissance en cachette dans le miroir à deux faces de Denise ; non pas son profil, mais ses profils car ils ne se ressemblaient pas, l'un sournois, sans pitié, et l'autre sans défense. Mais, de ces deux étrangers (car il ne se reconnaissait que de face), il détestait les joues creuses, le teint gris, les yeux nus, le nez d'homme. Il n'acceptait de lui que ce front trop vaste. « Je suis plus intelligent qu'eux » était sa consolation familière. Elle avait tenu lieu de « Je vais le dire à maman » et de « Mon père, moi, mon vieux... » chez ce demi-orphelin mal aimé et qui ne s'aimait pas.

*Mais je jouais !* — L'excuse de ce gosse (David... Personne d'autre ne s'appelait David !), ce mot si naturellement prononcé rouvrait chez le grand une blessure inguérissable. Il ne se souvenait pas avoir jamais joué : jamais couru sans raison, ri pour rien, cru à une histoire qu'il savait fausse. Même quand il s'abandonnait *au* péché (c'était presque le seul qu'il confessait à l'abbé de Mestre), il ne s'imaginait rien. Simplement, il se donnait trop de plaisir, comme on voit de gros hommes seuls dans des restaurants, manger trop et trop vite, en silence. Tout passait au crible de cette grosse tête qui ne lui pardonnait rien et qu'il avait renoncé à abuser, machine infernale et citerne secrète : car, s'il en admirait complaisamment le mécanisme, il ignorait et parfois craignait son contenu.

Jamais *joué* de sa vie ! Pourtant, avant-hier encore, après s'être assuré que personne ne l'épiait (les fenêtres de la maison étaient devenues ses ennemies, elles avaient partie liée avec ses trois habitantes qui, sans se montrer, l'interpellaient aigrement), il s'était allongé dans l'herbe, Gulliver attentif à toutes ces petites vies qui rampaient, sautaient, voletaient, dont il ne connaîtrait jamais les pensées mais qui étaient en son pouvoir. Qu'il était bien, loin des Trois, loin du temps, maître de ce petit univers incompréhensible ! Dieu, s'il existait (mais s'il n'existe pas, pourquoi te confesses-tu ?), n'était pas autre chose. Dieu, la mort à la main... C'est ainsi que Simon se le représentait et, sur ce minuscule arpent d'herbe, lui-même, en ce moment, était Dieu. Mais cela pouvait-il s'appeler jouer ?

Il ne cessait d'observer David à son côté comme l'un de ces petits animaux dans l'herbe, dont il ne saurait jamais rien. Mais soudain, et ce fut un tel bonheur qu'il en suffoqua et dut reprendre son souffle, il éprouva la conviction que les secrets de ce petit garçon il pourrait se les approprier. « Les partager ? — Non, les prendre pour moi. » Allons, qu'est-ce que cela voulait dire ? Sa grosse tête renâclait. Pour la première fois, il passa outre ; il était heureux. « Je suis plus intelligent que lui... » Cette pensée lui sembla dérisoire. C'était une clef qui n'ouvrait pas cette porte-ci.

En ce moment, David se battait des deux mains avec une abeille insistante. « Tu vas me laisser tranquille, toi ! » Cela devint une sorte de danse sur place, non pas lutte contre l'insecte mais complicité avec lui. « Faire jeu de tout », pensa Simon. Il venait de trouver le secret des secrets : celui qui donnait accès à tous les autres, à la grâce, au bonheur de vivre (et comment nomme-t-on le contraire de la peur ?), à cette Enfance dont il avait été frustré. « Pour moi, c'est trop tard, pensa-t-il encore et sa joie tomba d'un coup. D'ailleurs, pour lui non plus cela ne durera pas. Il deviendra laid et il sera obligé de se confesser... » Deux larmes minuscules apparurent au coin de ses yeux. N'apparurent à personne ; lui-même ne s'en aperçut pas : sa grosse tête reniait une fois pour toutes ces insectes nuisibles et obstinés. Tout lui parut injuste, sale, condamné. Si David devait un jour lui ressembler, si lui-même ne devait jamais parvenir à ressembler à David, quelles comédies idiotes que la famille, l'Institution, l'abbé de Mestre et sa messe, la photo de son père ? Dieu, la mort à la main...

Il s'approcha de David qui se débattait toujours en riant et, visant l'abeille ivre, il claqua des deux mains sur elle. Il aurait bien voulu qu'elle le piquât tandis qu'il l'écrasait — pourquoi ?

— Tu es fou, cria David, dégrisé et plus triste que furieux. (Cette fois, il montrait son visage de petit enfant ; et cela en imposa tellement à l'autre qu'il recula d'un pas.) Elle ne t'avait rien fait !

— C'était pour toi, mon vieux.

— Ne t'occupe pas de mes affaires !

« Oh si ! pensa Simon, il n'y a plus qu'elles qui m'intéressent. » Mais il répondit seulement, s'entendit répondre sur le ton détestable des grands :

— Tu ne disais pas ça tout à l'heure.


C'était une maison semblable à la sienne, un jardin ni plus grand ni mieux fleuri ; pourtant Simon, dès qu'il y eut pénétré, eut le cœur point par l'envie. Les fenêtres, ici, s'ouvraient à la lumière, à la chaleur, aux parfums, au lieu de servir à épier. La porte paraissait n'être jamais fermée. « Maman ! » appela David ; la voix qui lui répondit, on devinait de si loin qu'elle souriait.

— Maman, voilà Simon. Il m'a défendu contre des grands qui me battaient.

— Ils ne t'ont pas fait mal ? — Mais vous avez saigné du nez, monsieur.

« Monsieur » ! David éclata de rire.

— Il s'appelle Simon. Je lui ai dit que tu le soignerais.

« Il tutoie sa mère, pensa Simon amèrement, et elle le tutoie... » Chez lui, toute la maisonnée vivait cuirassée de *vous,* sauf dans les moments de hargne. On ne se tutoyait que pour se blesser.

Comme M$^{me}$ L. achevait de lui tamponner le visage, Simon prit sa main et la baisa brutalement. Ce geste la gêna ; elle s'assura, d'un regard, que David n'en avait rien vu, puis elle montra un sourire contraint.

— Vous... votre famille habite aussi ce quartier ?

— Il est notre voisin, fit David ravi.

— Alors, je dois connaître de vue votre maman.

— Ce n'est pas sûr, dit Simon trop vivement. (A la pensée que ces deux mondes pouvaient se rencontrer, une panique l'avait saisi.) Elle travaille à Paris toute la journée ; ma sœur Denise aussi. Mon père nous a quittés, il y a six ans, ajouta-t-il pour briser l'insupportable apitoiement qu'il lisait dans le regard de M$^{me}$ L. et prévenir son « Votre papa est mort ? » — Mort ? Tu parles ! « Plus vivant que jamais, pensa-t-il, loin de ses trois harpies. Mais n'était-ce pas son départ qui, justement, avait fait d'elles... ? » — Non, non ! Simon les avait toujours entendues se vouvoyer, se plaindre des hommes, dire « les gens » en parlant des autres, ricaner au lieu de sourire, et jamais un baiser ! Il forçait le tableau : car plus elles seraient noires, moins il se sentirait gris ; mais sa grosse tête n'avait pas éventé ce piège si banal.

M$^{me}$ L. le plaignait de tout son cœur. Elle dit à mi-voix, sans réfléchir :

— David n'a presque pas d'amis. Il est trop heureux avec nous. Et puis il a toujours su jouer tout seul. Sa dernière sœur a six ans de plus que lui... Chaque fois que vous viendrez ici, vous serez le bienvenu... Simon.

Elle avait toujours craint l'Institution Saint-Louis, l'influence des maîtres, la rudesse des aînés, les mauvais exemples. Elle scrutait presque chaque jour le visage de son *petit poulet*. « Quand il apprendra le mal, je le saurai aussitôt ! » Le Mal, c'était l'impureté. Que pouvait-il arriver d'autre à David ? Il n'avait même pas de rues à traverser pour rentrer à la maison...

Simon dévisageait cette femme qui paraissait presque plus jeune que Denise. Comme il devait être facile de vivre en l'ayant pour mère, pour femme ! David n'avait aucun *mérite*. M. L. non plus. Simon, sans le connaître, le détesta, comme, aux soirs de grande amertume, il détestait son père d'être libre, heureux. C'était trop facile ! Les uns peinaient, et les autres vivaient *en roue libre,* toujours les mêmes. On ne prêtait qu'aux riches : c'était bien vrai. Tout était injuste. « J'aimerais mieux être mort », pensa Simon ; mais ce n'était pas vrai : il aimait trop sa colère pour y renoncer. Elle seule, avec le « Je suis plus intelligent qu'eux », lui permettait de tenir, l'assurait d'exister. Et puis, la Mort c'était plus ou moins Dieu, et celui-là non plus il ne l'aimait pas. C'était un père comme le sien, qui s'était retiré une fois pour toutes et laissait les autres se débrouiller. Ces pensées n'étaient pas nouvelles ; mais chaque fois qu'elles lui revenaient, son front si vaste se couvrait de sueur.

— Vous avez mal ? demanda Mᵐᵉ L. qui l'observait.

Tout à l'heure, elle l'avait soigné comme un enfant ; mais, depuis qu'il lui avait si bizarrement baisé la main, (« Quel âge pouvait-il avoir ? Treize ans ? ») elle lui parlait comme à un homme : Simon s'en rendait compte, et cela lui faisait tout ensemble peur et plaisir.

— Tu as encore mal ? demanda David à son tour en lui prenant la main. C'est ma faute.

— Pas du tout, dit l'autre sèchement.

Il fallait partir d'ici au plus tôt. Pourtant, il aurait voulu y passer sa vie : il venait de sentir le parfum de Mᵐᵉ L., et (« Vous avez mal ? ») il entendait encore le son de sa voix : il aurait pu l'imiter, il l'emporterait

17

avec lui. Elle portait une robe bleu ciel très légère, ajustée du buste, ample ensuite. Il n'avait jamais vraiment pensé que les mères avaient une poitrine ; ou plutôt que les femmes dont il observait la poitrine, parce qu'il aimait le trouble que cela lui procurait, étaient aussi des mères. A la maison, on n'avait pas de poitrine.

— Il faut que je m'en aille, dit-il d'une voix un peu enrouée.

— Pas déjà ! supplia David.

Simon le regarda. Comme il ressemblait à sa mère !

La grand-mère entendit le pas de Simon. Elle allait donc cesser d'être seule dans cette maison, mais cela ne lui causait aucun plaisir. Elle n'aimait guère, à présent, que ce dont elle se plaignait sans cesse : sa solitude, son ennui et, pire, cette absence presque absolue de souvenirs. Son mari était mort l'année même de leur mariage ; elle attendait déjà un enfant. Les seuls événements notables de sa vie perdue, elle les avait vécus à contre-courant : furieuse du mariage de sa fille unique avec cet homme qu'elle détestait d'avance ; et ravie lorsque celui-ci les avait abandonnées. « Je l'avais toujours prévu ! » Cent fois elle avait eu la force de retenir cette parole ; et puis, un soir de hargne :

— D'ailleurs, je l'avais toujours prévu !

— Dites plutôt que vous l'avez toujours espéré, maman !

Cet échange de répliques avait clos le problème à double tour. Chacune des femmes pensait que c'étaient les deux autres qui, par leur caractère impossible, avaient fait fuir le seul homme de cette maison et son gagne-pain. « Elles m'en veulent, pensait la vieille femme. Denise adorait son père, c'est fréquent, et sa mère était jalouse d'elle. Il n'y a que moi qui ai vu clair, dès le début, et c'est pour cela qu'elles me détestent. Car elles me détestent ! Je ne suis qu'un objet ici, rien de plus ! Et, plus tôt je mourrai... »

Elle parvenait ainsi à s'apitoyer sur elle, d'assez bonne foi, sur elle seule, mais bien décidée à mourir le plus tard possible « pour leur montrer ! » Du matin au soir elle jouait à la poupée avec elle-même : « Ne va pas prendre froid, couvre-toi mieux... Et ton médicament ?... Allons, tu as meilleure mine, ce matin... » Elle descendait pour les repas, lourde de griefs et d'autant plus décidée à les garder pour elle qu'elle les avait oubliés. Elle faisait exprès de manger trop peu et remontait au plus tôt vers ses biscuits secs. « Vous feriez mieux de manger de la viande plutôt que de vous bourrer de biscuits », avait dit Denise, l'autre soir. Elle savait donc ? On l'épiait, on écoutait aux portes, on visitait sa chambre ? Depuis cette humiliation, elle fermait à clef derrière elle quand elle sortait de son terrier. Sa seule compagnie était la radio : les animateurs, les commentateurs, les chanteurs, tous à ses ordres, des hommes qui faisaient mille efforts pour vous plaire et que, d'un geste, on faisait taire.

Cependant, malgré le son de la radio, elle entendit le pas de Simon. Elle se faufila jusqu'à sa fenêtre (« Voir sans être vue » était la maxime des trois femmes), aperçut de haut la grosse tête. « Tiens, on dirait qu'il a saigné, pensa-t-elle avec indifférence. Comme il ressemble à son père ! » Puis elle alla fermer la porte à clef. « D'ailleurs, il ne monte jamais. Personne ne se soucie de moi. Un jour, ils me trouveront morte... » — Elle n'en croyait rien.

Un peu plus tard, la mère de Simon rentra, épuisée. En franchissant la grille, elle changeait de visage, cessait de faire des concessions aux *gens* qu'elle craignait tous depuis six ans, et à son métier qu'elle n'aimait pas. Mais en pénétrant dans cette maison qui, peu à peu, avait changé d'odeur, elle retrouvait un second métier qu'elle détestait tout autant.

« Maman n'a même pas rangé la vaisselle. Elle se vante " d'avoir toujours eu une domestique, elle ! " et, sous ce prétexte, elle ne fait rien pour m'aider. Parce qu'elle a été malheureuse, elle trouve satisfaisant que je le sois ; c'est sa façon de m'aimer. Et si Denise se mariait (elle n'est pas en chemin !) elle refuserait sûrement d'y assister... Qu'est-ce que je vais leur donner à dîner ? Toujours ces repas !... D'ailleurs, il n'y a que Simon qui mange. Il a pris la relève de son père, celui-là ! La place que tient la nourriture pour les hommes, pour les " gens " !... Comment se fait-il qu'il ne soit pas venu m'embrasser ? Il fait semblant de ne pas m'entendre. D'ailleurs il commence à piquer, c'est désagréable. Il doit se raser en cachette. Et fumer aussi : je trouve qu'il sent l'homme. Déjà ! on ne peut jamais avoir la paix bien longtemps... 6 heures et demie : Denise devrait être rentrée. On ne me fera jamais croire qu'il lui faut des heures pour faire les trois malheureuses courses que je lui ai demandées ! Quand je ne m'occupe pas moi-même des choses... Il faudrait que je sois la domestique de tout le monde... D'ailleurs, elle rentre de plus en plus tard. Peut-être fuit-elle la maison ? Eh bien, qu'elle s'en aille tout à fait ! ce sera complet !... »

Elle retourna dans l'antichambre. « Pas de courrier. Il n'y a jamais de courrier, en dehors des factures. Je pense que, si on était venu verser le mandat, maman m'aurait laissé un mot *tout de même* ! Elle sait bien que, depuis deux mois, la pension alimentaire n'a pas été réglée. Et je n'ai pas assez d'argent pour attaquer. D'ailleurs, comment attaquer ? Je n'ai même plus son adresse. Et Simon (elle pensait toujours à lui lorsqu'elle évoquait son père), Simon qui va trouver tout naturel de faire des études interminables. Il se moque bien de savoir comment je les paierai ! Tout le monde se moque bien de savoir comment je peux faire face... »

Si elle avait pu voir son visage, en ce moment, elle y aurait perçu une étrange expression de joie. Son seul « bonheur » était que tout allât mal, que personne ne l'aidât, ne l'aimât. C'était aussi devenu, comme cela arrive souvent, sa seule forme de religion. Pourtant, en passant devant le miroir, elle aperçut par hasard (elle fuyait, d'instinct, son reflet) le visage d'une femme sans âge, mais auquel l'ombre du désespoir conféra pour un instant une certaine beauté.

Simon sortit de sa chambre. Il n'avait pas entendu sa mère, mais il sentait sa présence. Il entendait encore la voix de M<sup>me</sup> L. Jamais il ne parlerait d'elle ni de David à sa mère ; mais il savait que si, là, maintenant, de sa voix à elle, celle-ci l'appelait « mon chéri » ou seulement lui tendait les bras, ou seulement lui demandait des nouvelles de son travail, il se jetterait contre elle en pleurant, prêt à détester M<sup>me</sup> L., à ne plus jamais revoir David.

— Avez-vous pensé à acheter du pain ? demanda la voix. Non, naturellement !

Comme il s'en revenait, une baguette de pain à la main, il vit une voiture s'arrêter à quelque distance de la maison. Lui-même se dissimula le long d'un mur ; *l'espionite* familiale l'avait contaminé. Il vit descendre sa sœur Denise ; une grosse main lui tendait deux paquets, puis un profil à lunettes et à moustaches se montra par la portière. Denise et l'inconnu échangèrent un baiser d'habitude, sans chaleur, « A demain ! », et la voiture repartit. Denise se hâta vers la maison et Simon reprit sa marche sans aucun bruit. « Voir sans être vu… »

Pourtant, Denise dut pressentir qu'on la suivait. Car elle se retourna. Simon eut, pour la première fois de sa vie, la brève jouissance de voir sa sœur aînée déconcertée, et même de lire sur son visage étroit une expression de crainte. Elle se ressaisit vite.

— Tu m'espionnais ? lui cria-t-elle. (Ce tutoiement le fit sursauter. Etait-ce bien le même que dans l'autre maison ?) Eh bien, qu'est-ce que tu attends pour courir « rapporter » ? Sale gosse ! Quand seras-tu un homme ?

C'était son refrain et celui de leur mère : « Vous n'avez pas pensé à réparer la prise électrique du salon ? Quoi ! Vous ne savez pas comment vous y prendre ? Quand serez-vous un homme ? » C'était donc la seule façon de leur en imposer ? Même pas ! de se faire admettre. « Pour elles, qu'est-ce qu'un homme ? pensa Simon une fois de plus. A les entendre, elles les détestent ; c'est pourtant ce qu'elles exigent de moi ! » Dans le même instant : « Comment le faire taire ? se demandait Denise. Si maman apprend ma liaison, ce sera l'enfer. La maison est déjà invivable, mais alors ce seront des questions à n'en plus finir : Qui ça ? Votre patron ? Mais c'est un roman-photo, ma pauvre Denise ! Quelle veulerie de votre part et, de la sienne, quelle lâcheté ! Coucher avec sa secrétaire ! Il va au plus facile. Tu as peut-être cru que c'était la meilleure façon de conserver ton emploi, ou même de progresser dans l'affaire ? Mais c'est juste le contraire, pauvre idiote, et le jour où tu ne le feras plus jouir... » Elle passait du langage de sa mère au sien propre car, depuis des mois, ces réflexions étaient les siennes : depuis qu'elle avait cédé aux exigences du gros homme tout échauffé par quelque déjeuner d'affaires. D'ailleurs, cela lui paraissait tout naturel : l'affaire était à lui, secrétaire comprise. Tous les hommes étaient ainsi : le monde leur appartenait depuis toujours. Avant, ils possédaient la force ; à présent, l'argent. Son père lui-même... Et Simon, ce sale gosse, dès qu'il grandirait, ferait d'elles trois ses esclaves. Mais non ! il aurait foutu le camp bien avant, comme leur père. « Et moi, si je partais ? » Partir où, Denise ? Avec quel argent ? Celui de ton « amant » ? (Ce mot la faisait ricaner : double menton, ventre au gras-double, et ce souffle court qui sentait la viande et le tabac — c'était cela « l'amant » dont parlaient les histoires ?) Non, elle était condamnée à jouer *Back street* toute sa vie. Sa seule consolation était que personne d'autre ne le sût. Et voici que ce petit imbécile avait volé ce secret honteux et possédait le pouvoir de l'humilier. Une seule parade : l'humilier d'abord et davantage !

— Pauvre gosse ! il ne se passe rien dans ta vie d'écolier. Alors, tu en es réduit à espionner ce que tu ne peux même pas comprendre. Mais je te préviens que si tu ne tiens pas ta langue, tu le paieras cher. Moi aussi, je sais des choses !

Elle ne savait rien, mais Simon s'affola. Voulait-elle parler du péché ? Ou de David ? Pour la première fois, il songea à l'un et à l'autre au même moment et la honte lui donna envie de vomir. Son front se couvrit de sueur ;

il dut s'arrêter, s'appuyer contre la clôture du jardin. « Je lui ai fait peur, pensa Denise. Je le tiens... »

Ils jouent ensemble chaque jour. Le premier jeu consiste à se rejoindre sans être vus : ni des camarades, grands ou petits (ce qui contrarie bien David qui serait fier d'étaler leur amitié) ; ni des fenêtres de la maison D. ; ni même de la famille L.

— Mais pourquoi, Simon, puisque maman t'a dit...

— C'est le jeu ! (C'est devenu leur mot de passe.) Il faut que personne ne s'en doute. C'est bien plus amusant.

Et puis il a fallu trouver un repaire. Le bois des Garets, à un jet de pierre de leurs maisons, n'est fréquenté qu'en fin de semaine. Mais à midi ou au crépuscule, c'est la forêt de Robin des Bois, ou celle de Tarzan, ou celle du Petit Poucet, suivant les jeux et les jours.

Ils y construisent une hutte, puis deux : la période Robinson n'a qu'un temps et lui succède celle des Indiens et des cow-boys. Car chacun est à lui seul une troupe, une tribu David regrette alors de ne plus être le fidèle Vendredi ou le compagnon de Robin des Bois. David est un second né.

— Je veux être ton lieutenant, réclame-t-il.

— Il faut des ennemis. Sans ennemis, il n'y a pas de jeu.

— Tu es fou !

— Quoi ?

Cette seule pensée rend Simon malheureux, c'est-à-dire furieux, tel est son caractère.

— Bon, bon. Mais j'aimais quand on était ensemble des explorateurs.

— On a tout exploré, maintenant.

— On pourrait peut-être jouer à se perdre, suggère David.

— Non, dit pensivement Simon, on va construire une ville. Ou encore...

Simon découvre un monde. Les jours passent ; et chacun d'eux s'achève par « A demain ! ».

Un soir, comme Simon raccompagnait David au seuil de sa maison, M<sup>me</sup> L. l'aperçut et vint à lui.

— Vous nous oubliez ! Mon mari aimerait tant vous connaître, et David se plaint de ne plus vous voir.

Le petit n'avait donc rien dit de leurs rencontres ! Simon en fut ravi ; il mentit à son tour — « Trop de travail... Rentrer directement à la maison... » et prit congé très vite. Il ne voulait surtout pas rencontrer M. L. qu'il détestait d'avance dans la mesure où son fils et surtout son épouse l'aimaient. Il partit en courant. Quand il put penser qu'elle ne regardait plus dans sa direction, il se retourna pour observer la mère de David. Elle était en train d'embrasser son petit garçon. Simon en fut jaloux, doublement jaloux.

En approchant de la maison, il vit Denise qui s'était, comme lui-même quelques semaines plus tôt, arrêtée non loin de la grille et l'observait.

— Qu'est-ce que vous faisiez chez ces voisins ?

— Leur fils et moi sommes des camarades.

— Il est beaucoup plus jeune que vous !

— Et après ?

— Et après, c'est parfaitement ridicule : à cet âge-là on ne pense qu'à jouer !

« Et après ? » pensa-t-il de nouveau. Denise non plus n'avait jamais *joué* de sa vie, la pauvre ! Elle lut dans ses yeux une sorte de compassion qui lui fut insupportable.

— Ce n'est pas en jouant qu'on apprend de quoi gagner de l'argent un jour.

— Il n'y a qu'ici que j'entends sans cesse parler d'argent, explosa Simon ; ici où personne ne s'aime !

— Simon !

Il avait touché juste ; le visage de Denise prit une expression navrée ; pour la première fois peut-être, Simon ressentit qu'il était son frère.

— Chez eux, poursuivit-il d'une voix altérée, on se sourit, on se pose de vraies questions, on se tutoie...

— Cela prouve seulement...

Il osa l'interrompre :

— Chez eux, on s'aime.

— C'est facile quand il y a de l'argent, dit Denise. (Elle était au bord des larmes.)

Rien n'était plus vrai, rien n'était plus faux — Simon ne sut quoi répondre. Il sortit son mouchoir (une heure plus tôt, c'était le pansement de Buffalo Bill) et s'essuya le front.

— Oh ! Simon, dit-elle avec une sorte d'élan qui la rajeunissait, quand nous gagneras-tu de l'argent ?

C'était un vrai tutoiement, comme là-bas. Simon en fut bouleversé.

« Je la trahis, je les trahis toutes avec David. Pourquoi m'aimeraient-elles ? » Il se sentit très malheureux ; alors pourquoi souriait-il ? D'un geste d'enfant, il tendit ses bras vers Denise pour l'embrasser. Elle eut un haut-le-corps.

— Dans la rue ? Qu'est-ce qui vous prend ?

Ils jouent.

Dès que paraît David, le soleil se lève sur le visage de Simon. Il se sent devenir un autre, ou plutôt redevenir profondément lui-même. Sa grosse tête, ce corps trop grand pour lui se soumettent avec une joie secrète à l'étranger qui sommeillait en eux ; c'est l'éléphant qui obéit au petit enfant.

Ils jouent. Le troisième jour, un chien les a rejoints : il a reconnu là des jeux de son âge et il y tient son rôle. Le nommer, l'apprivoiser tout à fait, le dresser...

Les jours passent. Ils jouent aux détectives, aux espions, aux prisonniers qui s'évadent. Le soleil les surveille de haut ; la saison vire insensiblement. Ils jouent à la guerre. David n'aime pas tellement cela : « Ou alors on dirait qu'on ne serait pas vraiment des ennemis... »

Un soir (il tombe plus vite à présent) :

— Demain, prévient David en évitant de regarder son compagnon, je ne pourrai pas venir.

— Mais...

— Maman veut que je travaille davantage.

— Je... je pourrais t'aider !

— Non, pas toi, fait David en riant.

« J'ai cessé d'être un grand pour lui », pense Simon. Cette idée lui plaît et, pourtant, l'humilie.

— Bon. Alors... à jeudi.

Mais, le lendemain, en passant le long du bois des Garets, son cartable sous le bras, Simon entend un aboiement qu'il connaît bien. « Le chien ne joue pourtant pas tout seul ! » Le garçon s'enfonce parmi les arbres en retenant ses gestes puis son souffle. C'est lui qui, cette fois, joue tout seul : à l'espion. Il aperçoit David en train de jouer avec un plus petit que lui. Il reconnaît l'un de leurs jeux, mais les rôles y sont inversés ; seul le chien joue toujours le sien. Avant qu'il ne flaire sa présence, Simon se retire. Il croit qu'il est seulement furieux ; il prépare déjà sa vengeance du lendemain — mais le coin de ses yeux le pique. « Quoi ! pleurer ! A cause de ce petit con ? » Pourtant il ne peut oublier le profil qu'il vient de découvrir : ivre de joie, ivre de joie *sans lui*.

— Arrêtons, dit soudain l'abbé de Mestre. Relevez-vous, Simon, et parlons un peu tous les deux.

Lui-même ôte son étole et s'assoit derrière ce bureau trop bien rangé ; des dossiers, des piles de cahiers maculés et la simple croix de métal qui seule donne sens et lumière à cette pièce si triste.

— Asseyez-vous. Vous ne fumez pas ? Ici c'est permis : il n'y a plus de maître et d'écolier, seulement deux amis.

Il a parlé en toute franchise en bourrant sa pipe de célibataire, mais Simon se tient sur ses gardes.

— Voilà. J'en ai assez que vous accusiez toujours les mêmes fautes et dans les mêmes termes. « Manquer d'ardeur au travail, de ferveur à la chapelle » — allons, ce sont les phrases exactes du petit manuel violet. Vous le savez par cœur et moi aussi... « Plaisir solitaire » ? Il n'y a pas de quoi être fier, soit ; mais, mon petit, ce ne sont pas les gestes qui comptent, ce sont les pensées.

Simon rougit : depuis des nuits, chaque fois qu'il succombe, il songe à M^{me} L.

26

— Je ne veux plus que vous m'en parliez, Simon. Je suis sûr que c'est devenu une sorte d'alibi, vous comprenez ? Une façon commode de cacher le reste ; ou plutôt de ne même pas chercher le reste. Nos cœurs sont profonds : ce qui surnage est le plus léger ; mais le plus lourd, le plus grave, tombe tout au fond et finit par nous échapper. Cherchons ensemble, si vous voulez, ce qui ne va pas...

— Non, crie presque le garçon en se levant.

— Rasseyez-vous, D. (Il rallume sa pipe.) Ce n'est pas moi que vous voulez fuir en ce moment, c'est vous. Il est très dangereux de refuser de voir clair en soi.

Visage de pierre, gris de défiance... Rien ne peut davantage blesser l'abbé ; la tristesse l'emporte sur l'irritation ; il change de ton.

— Ecoutez-moi, Simon. Je sais ce que je dis. Nous avons tous nos difficultés, nos pauvres secrets. Mais la merveille, c'est que nous puissions tirer tout cela au clair, laver notre linge sale, comprenez-vous, repartir de zéro ! Depuis quelque temps, vous travaillez mal, très mal. Je regarde vos notes. (Il lui tend une feuille couverte de chiffres et de notations, fourmilière de toutes les couleurs.) Vérifiez vous-même ! reprend-il avec impatience, allons ! (« A quoi bon ? ») On dirait que le travail ne compte plus pour vous, Simon. Vous savez pourtant combien votre famille...

— Eh bien quoi, ma famille ?

— Sa situation est difficile. Vous ne pouvez pas, comme, hélas, le font tant d'autres, vous payer le luxe de perdre une année. Je sais, poursuit le Père en hésitant, ou plutôt j'imagine que vous n'êtes peut-être pas toujours très heureux chez vous.

— Très heureux, dit Simon en se levant pour de bon.

Ses yeux le piquent : il lui faut sortir d'ici au plus vite ; d'ailleurs, il y étouffe.

— Très heureux chez moi, toujours !

— Restez, mon petit...

Il est déjà sorti.

Quand, le soir même, il arrive près de leur hutte, David l'attend déjà.

— J'ai cru que tu ne viendrais pas.

— Pourquoi ? C'est toi qui laisses tomber, pas moi !

— Il fallait que je travaille, ment le petit en le regardant droit dans les yeux — et c'est cela qui enrage Simon.

— Je sais, je sais.

Il n'a presque pas dormi de la nuit : l'abbé (l'odeur de sa pipe le poursuivait jusqu'à la nausée), et toutes ces humiliations : « J'imagine que vous n'êtes pas heureux chez vous... Maman veut que je travaille davantage... » Le visage de David, naufragé de joie ; cet autre gosse inconnu qui lui obéit comme à un grand ; ce chien idiot qui ne fait même pas la différence... Et, pour comble, Denise, hier soir, l'arrêtant rudement par le bras : « Qu'est-ce qui ne va pas ? » Et son regard, ce matin qui signifiait : « Tu n'as pas dormi, je le sais. Tu ne me dis jamais rien, mais je sais tout... » Il n'a presque pas dormi et il vacille de fatigue, de vide.

— Alors quoi, demande David, on joue ? Aux détectives, j'aimerais...

— Non, au prisonnier évadé.

— Mais...

— Au prisonnier évadé, répète Simon durement, c'est moi qui commande.

— On serait deux prisonniers qui voudraient se sauver. Alors...

— Non. Tu essayes d'échapper, et moi je suis le gardien et je te rattrape.

— Oh non, Simon, tous les deux !

— Qu'est-ce que tu crois ? Que tu es grand, toi aussi ? Allons ! Tu as trois minutes pour te cacher, et moi (il ramasse un bâton qui sera son arme), j'en aurai deux pour te retrouver.

— Avec le chien, c'est trop facile.

— Je l'attache à la cabane. File !... Vas-tu filer, à la fin ?

Son front est couvert de sueur. David, qui n'a pas reconnu sa voix, se retourne et demande :

— C'est du jeu, hein ?

Simon regarde ce visage que la peur rajeunit. C'est celui de M^me L., la première fois qu'il l'a vue : « Ils ne t'ont pas fait mal ? » A lui, personne n'a jamais posé cette question. Il y a le monde entier avec ses *tu* et ses *vous,* sourire et hargne mélangés, le monde entier d'un côté et lui, Simon, de l'autre. Leur Dieu est dans leur camp, la mort à la main. Et lui, Simon, tout seul, son bâton au poing, ridicule, celui dont tout le monde se moque. « Vous n'êtes pas toujours très heureux chez vous... » Moi ? Malheureux ! Malheureux à crever chez moi, partout !

— C'est bien du jeu, Simon ? Pourquoi me regardes-tu comme ça ?

— File, bon Dieu !

L'enfant détale, tout heureux d'obéir. « Je sais où je vais me cacher : tout au fond du Terrier de l'Ogre. Il y a si longtemps qu'on n'y a pas joué : il ne se rappellera plus... »

110, 111, 112... Simon s'arrête de compter et ferme les yeux pour écouter au-dedans de lui. Son cœur y bat, son cœur compte à sa place, mais bien trop vite. Ce cœur, ces mains, ce corps indépendants de lui l'effraient. « Depuis quelque temps, vous travaillez mal... » C'est vrai que sa tête s'est rouillée et qu'il ne peut plus compter sur elle. « Je suis plus intelligent qu'eux ? »

— Faux ! c'est faux maintenant.

Il reprend n'importe où : 157, 158... Tout cela soudain lui paraît stupide : être en train de compter, au fond d'un bois, près d'un chien inconnu qui s'est ligoté avec sa corde au montant d'une cabane de gosse... 162, 163... Pendant que sa mère travaille, que Denise travaille, que le monde entier travaille, sauf lui ! « Et si je filais, à mon tour ? Laisser ce gosse en plan, ne plus jamais le revoir ? Et, de nouveau, se crever au travail : toujours le premier en tout ! Plus intelligent qu'eux tous ! » Mais il sait qu'il n'y parviendra pas, qu'il n'y parviendra plus — et la faute à qui ? C'est échec sur échec ! Ni un vrai grand ni un vrai petit, ni le travail ni le jeu — la grâce est morte !... 178, 179, 180.

Il court, son bâton à la main. Ce contact, du moins, lui redonne un sentiment de puissance. Un homme qui court, n'importe lequel, mais une arme à la main, qui le trouverait ridicule ? Dieu lui-même...

Il court en comptant de nouveau, pour lui cette fois : deux minutes, cent vingt secondes. 96, 97, 98... Où David a-t-il pu se terrer ? Simon a déjà exploré toutes leurs cachettes. Mais peut-être s'est-il évadé pour de vrai ? C'est lui qui ne reviendra plus jamais : ira jouer ailleurs avec un autre, travailler ailleurs avec un autre. « Et, *de plus,* il se moque de moi ! » 120...

En passant près du Terrier de l'Ogre, il lui prend une sorte d'étourdissement : l'insomnie, la fureur, le désespoir... A ce moment, David s'extirpe à grand-peine de sa profonde cachette.

— 135 ! Tu ne m'as pas trouvé ! La-la-la, chantonne-t-il, tu ne m'as pas...

Le fil se casse net. Le bâton vient de s'abattre sur sa nuque. Il tombe, les deux bras en avant. Cette tache rouge parmi les cheveux emmêlés, ce petit fleuve, ce lac rouge que la terre ne parvient pas à boire.

— Allons, lève-toi, David ! crie Simon.

Il croit encore qu'il suffit de crier, qu'il suffit de croire, de vouloir...

— David ! DAVID !

Il tombe à genoux et retourne le corps pour ne plus voir tout ce rouge. Les yeux sont grands ouverts. — « Il n'est donc pas... mort ! » pense-t-il naïvement. Mais à peine a-t-il formulé ce mot que, par sortilège, la chose arrive. David est mort. Mort, David — Simon en est sûr à présent. Si seulement il avait continué de croire de toutes ses forces le contraire, cela ne serait pas arrivé. Il s'oblige à murmurer :

— Il est mort.

Mais cela ne veut rien dire. La vérité, c'est que *David n'est plus là.* C'est bien le regard de David, plus étonné que jamais, ses cheveux immobiles, sa bouche ouverte — mais il n'est plus là.

Tout ce que Simon a vu faire dans les films, il va l'accomplir : lever cette main qui retombe inerte, tâter le poignet à peine tiède, coller son oreille contre la poitrine étroite. Et ce sang qui, à présent, lui fait une auréole. Va-t-il donc se vider tout entier comme une bête ? « Ce n'est pas moi, pense Simon. Un seul coup ne pouvait pas suffire. Il a dû buter sur quelque chose, sa tête aura porté contre une racine, ou bien son cœur s'est arrêté. » Ces phrases-là, il les a déjà lues dans les journaux.

— Ce n'est pas moi, dit-il tout haut, CE N'EST PAS MOI !

Il a crié. Le chien aboie. « Heureusement que lui n'a rien vu », pense Simon stupidement. Mais le son de sa voix a réveillé le somnambule. Une sorte de chaleur l'envahit : la vie, la vie remonte en lui. Ce n'est pas lui qui est mort, ce n'est pas lui ! Ne fallait-il pas qu'un des deux disparaisse ? « Un de nous deux était de trop. Eh bien, c'est moi qui ai *gagné...* »

Il regarde ses mains : couvertes de sang, habillées de sang. Quelles autres mains lui rappellent-elles ? — Celles du boucher, si sûres d'elles, invincibles. Le boucher, seul de son côté du comptoir avec, de l'autre, le reste du monde, « les gens », gris, fermés, taciturnes. Voici, les mains du boucher ; il n'y manque que l'alliance ! Mais elle brille, inaltérable, invisible au doigt de Simon ! Il vient de contracter secrètement une alliance indestructible avec David, avec sa mère, morte déjà sans le savoir ; avec la mort, avec Dieu. Dieu, leur Dieu, est enfin passé de son côté ! Simon songe avec pitié à l'abbé de Mestre.

La grosse tête se remet à fonctionner avec une vivacité que Simon ne lui a jamais connue. Cacher le corps. Toujours commencer par cacher le corps. Au fond du Terrier de l'Ogre, tout au fond, et colmater avec de la terre, de la terre... Bon. Effacer les traces, à présent. Si seulement il pleuvait cette nuit. « Il pleuvra, cette nuit, je le veux ! » (Il pleuvra en effet.) Détacher le chien, le chasser à coups de bâton afin qu'il ne revienne plus. « Merde ! la cabane... J'allais oublier de détruire la cabane... »

Simon n'oublie rien. Il est beaucoup plus intelligent qu'eux tous. Il remet à plus tard de songer à M$^{me}$ L., au profil de David qui ne lui ressemble plus, à ses yeux grands ouverts au fond du terrier — plus tard ! quand il sera seul dans sa chambre, entouré de la bonne hargne silencieuse des autres. Pour l'instant, derrière ce front qui ne transpire même pas, la grosse tête échafaude un plan si astucieux que Simon, à son insu, en sourit. (Plusieurs personnes le rencontrèrent — il ne les vit même pas — et témoignèrent qu'il souriait.) Un plan... Bien mieux qu'un plan : un jeu, mais seulement pour les Grands, cette fois.

La police prescrivit elle-même la plus grande discrétion. D'assez nombreux enlèvements d'enfants avaient eu lieu ces derniers mois contre rançon ; elle ne doutait pas que le petit David eût subi le même sort. « N'en parlez à personne et attendons l'appel téléphonique des ravisseurs. »

M$^{me}$ L. qui ne prononçait plus une parole et dont le visage livide semblait aspiré de l'intérieur s'installa près du téléphone, nuit et jour. On lui portait à boire ; pas à manger : impossible de mâcher une seule bouchée ! Le second soir, la sentinelle s'endormit. M. L. la porta dans ses bras jusqu'à son lit et prit sa place. Ce fut lui qui reçut l'appel : une voix évidemment contrefaite, et qui paraissait provenir d'une autre planète à cause des étoffes interposées entre elle et l'appareil. Elle réclamait quarante millions.

— D'anciens francs ? demanda M. L. en tremblant.

D'anciens francs, mais avec toutes les précautions d'usage — le tout décalqué, mot pour mot, des récits qu'avaient publiés les journaux lors des récents faits divers.

— Que décidez-vous ? demanda le commissaire de police judiciaire, pas mauvais homme mais qui se méfiait de l'attendrissement, de la hâte et des mères.

— Tout ! répondit M$^{me}$ L. Nous vendrons Villers et

cette maison-ci s'il le faut. Je retravaillerai. Mais nous paierons tout et tout de suite, sans discuter.

Le lendemain, la voix réclamait soixante millions ; le surlendemain quatre-vingts.

— Demandez d'urgence la date et le lieu de l'échange, conseilla le commissaire. Et donnez l'assurance que nous ne nous en mêlerons pas.

— Mais en fait ?

— En fait, nous devons tendre un piège.

— Sûrement pas ! Ma femme et moi sommes formels. Après tout, c'est notre argent. (Et M. L. ajouta plus bas :) Et notre enfant.

— Mais, si nous laissons faire, demain ce seront les enfants des autres, monsieur !

— N'insistez pas, monsieur le commissaire.

La voix arrondit à cent millions et changea trois fois de date et de lieu. Elle refusait, en attendant, de fournir une seule preuve que David fût vivant. M$^{me}$ L. était à demi morte. La police enregistrait les communications, enquêtait discrètement partout.

Notamment à l'institution Saint-Louis. Le commissaire s'y entretint longuement avec l'abbé de Mestre qui lui opposa tous les faux-fuyants ecclésiastiques. Mais, dès son départ, il descendit à la chapelle, s'assit au dernier banc et y demeura plusieurs heures, presque sans paroles, les yeux fixes. Puis il remonta dans sa chambre, s'allongea tout habillé sur son lit, dormit à peine.

Les élèves de troisième C2 achevaient une composition de géométrie quand l'homme à tout faire de l'institution pénétra dans la classe et parla bas à l'oreille du professeur de math. Celui-ci montra l'assemblée studieuse en levant les bras au ciel, mais l'autre eut un geste catégorique.

— Simon D., ordonna le professeur d'un ton contrarié, M. l'abbé de Mestre demande que vous montiez le voir.

Le cœur de Simon se mit à battre si fort que le garçon

jeta un coup d'œil à ses deux voisins pour s'assurer qu'ils ne l'entendaient pas.

— Mais, monsieur, fit-il aussi naturellement que possible, je n'ai pas encore terminé ma copie.

— Je m'en doute. Mais M. l'abbé a dit « Immédiatement »... Allons !

Simon se leva. Gagner la porte en marchant droit, chantonner dans le couloir à cause de cet imbécile à moustaches qui l'escortait.— ce ne fut pas facile.

— Entrez ! Ah, c'est vous, Simon. Asseyez-vous. Vous savez pourquoi je vous ai fait venir ?

— Mais j'ai de meilleures notes, monsieur l'abbé !

— C'est vrai. Je me demande même...

Il se leva, marcha jusqu'à la porte qu'il ferma à double tour et se retourna. Simon, qui le suivait des yeux, tressaillit : l'abbé avait changé de visage. Et puis, il s'était habillé en civil, et cela le rendait à la fois plus et moins redoutable.

— A nous deux, Simon. Nous allons parler de David L.

— Mais...

— De David L., répéta l'autre avec une extraordinaire dureté. Cela prendra peut-être toute la nuit. J'ai le temps. J'ai fait prévenir chez vous qu'on ne s'inquiète pas. (« Qu'on ne s'inquiète pas ! ») Alors, parlons. J'ai fait mon enquête, Simon.

— Mais que voulez-vous que je vous dise, monsieur l'abbé ?

— Tout ! tonna l'autre en se penchant vers lui.

Simon parvint à *tenir* cinq heures durant. Un peu après 10 heures du soir (l'Institution désertée, la lune haute, les fenêtres aveugles, et la cloche imperturbable sonnant chaque quart d'heure), il s'affala sur le bureau, y faisant vaciller la pile de dossiers.

— Je veux me confesser, murmura-t-il d'une voix méconnaissable, me confesser à vous !

Le père secoua la tête :

— Plus tard, mon petit. (Il ne pouvait pas se laisser

prendre au piège du secret.) Il faut d'abord que vous parliez au commissaire.

— Au commissaire ? Mais je n'ai rien à lui dire ! Mais qu'est-cé que vous croyez ? Mais vous êtes fous, tous !

— D'abord parler au commissaire, répéta l'autre inexorablement. Vous allez vous allonger dans la pièce à côté, essayer de dormir.

— Mais je...

— Chut ! Assez parlé. Venez vous reposer par ici.

« Est-ce que je ferme la porte à clef ? se demande le père. Inutile ! Il est beaucoup trop intelligent : il sait qu'une fuite constituerait un aveu. Est-ce que je rappelle sa mère ? — Ce n'est pas la peine, hélas. Elle ne se soucie sûrement pas de ce long retard... »

C'était vrai de M^me D., pas de Denise qui tournait dans sa chambre en respirant mal. « Je ne dormirai pas avant qu'il soit rentré... » Elle flairait un malheur et pressentait, non sans fierté, qu'avec Simon ce ne pouvait être que le pire.

L'abbé de Mestre descendit un étage pour téléphoner au commissaire.

— Pouvez-vous faire un saut ici ?... Tout de suite, oui... L'un de nos élèves... Il est au bord des aveux : c'est à vous d'achever... J'attends, bien sûr.

En ouvrant la porte de la chambre, ils trouvèrent Simon endormi. Un visage si enfantin que le commissaire secoua la tête et haussa les épaules en regardant le Père. Pourtant il ne lui adressa pas la parole car il crut voir des larmes le long de ses joues. Il toucha l'épaule du dormeur, sans rudesse.

— Alors, il paraît que tu as des choses à me raconter ?

Lorsque les policiers et le juge d'instruction arrivèrent au Terrier de l'Ogre (mais ils ignoraient bien cette appellation), ils y virent un chien inconnu qui montait la garde en haletant. Il avait patiemment fouillé le sol et d'immenses tas de terre l'entouraient. En se penchant, le commissaire aperçut au fond de la cavité un visage presque intact dont les yeux le fixaient.

— Faites très doucement, ordonna-t-il à ses hommes.

L'abbé de Mestre revendiqua de prévenir lui-même la famille de Simon. Son visage avait tellement maigri depuis trois jours (trois nuits surtout) que les élèves évitaient de le regarder. M<sup>me</sup> D. s'effondra. « Me faire ça, répétait-elle, me faire ça... » Denise, bien que ce fût le soir, prit dans son sac des lunettes noires et les mit aussitôt. Son visage devint alors impénétrable. Elle n'eut pas un geste vers sa mère et ne prononça pas un mot. Pourtant, en raccompagnant le prêtre :

— Qu'est-ce que je peux faire pour lui ? demanda-t-elle tout bas.

— Si seulement vous vous étiez posé cette question plus tôt, mademoiselle !

L'abbé s'en voulut d'avoir fait cette réponse ; il n'avait pu s'en empêcher.

— Et la famille du petit David ? lui demanda le commissaire en évitant son regard.

— J'irai aussi.

Lorsqu'il le vit entrer :

— Il y a donc du nouveau ? demanda M. L.

L'abbé de Mestre avait la bouche si sèche qu'il était incapable d'articuler. Il demanda, d'un geste, la permission de s'asseoir. Le visage de M. L. était devenu livide et ses yeux paraissaient s'agrandir d'instant en instant. L'abbé lui prit la main, comme le fait un médecin qui se livre, sur un patient, à quelque traitement douloureux — puis il lui raconta tout, à voix basse.

— Voulez-vous, demanda-t-il après un long silence, que je parle moi-même à M<sup>me</sup> L. ?

— Vous en avez assez fait, dit l'autre en retirant doucement sa main. J'irai seul. Mais nous allons avoir beaucoup besoin de vous, mon père, beaucoup, beaucoup... Oh !

Il ne put achever. Il tomba entre les bras de l'abbé de

Mestre. Chacun d'eux pleurait à en étouffer, comme ceux qui ne pleurent jamais. Ils se tenaient liés convulsivement, et qui soutenait l'autre ?

Avant de perdre connaissance, M$^{me}$ L. balbutia quelques mots. Son mari crut entendre : « Tant d'amour perdu ! » Pendant quatre jours on craignit pour sa vie ; ensuite, pour sa raison.

Lors de la « reconstitution du crime », Simon, impassible, ne souffla mot de leurs jeux, répondit de travers aux questions du juge, prétendit ne pas connaître le chien. En remontant dans le fourgon, il eut un sourire de pitié pour tous ces officiers et ces uniformes qui pataugeaient, au propre comme au figuré (depuis la nuit du crime, il bruinait sans cesse). Il pensait à David : « On les a bien eus, mon vieux, on les a drôlement eus », lui soufflait-il par-delà toute cette comédie ridicule.

Les psychiatres se succédèrent dans sa cellule. C'était encore un jeu de les égarer, de délirer, de se contredire du jour sur la veille. A l'audience, chacun d'eux exposa magistralement sa contre-vérité. Le père de Simon, enfin apparu, imputa la faute à M$^{me}$ D. qui rejeta tout sur lui. Seule, Denise, après avoir déposé, marcha jusqu'à son frère et l'embrassa avec une sorte de violence.

M. L. trouva la force de réclamer l'indulgence du juge. « Il suffit d'une vie perdue, déclara-t-il. Que... Simon (il s'était contraint à prononcer ce prénom), que Simon, du moins, garde une chance de s'en sortir ! » On se tourna vers le garçon : il se tenait très droit, le regard au loin. Rien de tout cela ne semblait le concerner. Tout au long de l'audience, le juge tenta de l'émouvoir ; il n'y parvint jamais. « C'est un monstre », pensait-il. Il ne savait pas que, chaque nuit, le garçon s'obligeait à revoir David, entendre David, ressusciter David en s'obligeant à ne jamais pleurer. A chaque défaillance, il se mordait au sang ; il se fit ainsi, à la main gauche, une blessure si profonde qu'il fallut la soigner, mais elle empirait de nuit en nuit. A la fin, Simon était devenu parfaitement maître de son visage et sûr de ne jamais verser une larme. « Un monstre », pensait le juge des enfants. Il se demandait seulement pourquoi le garçon tournait sans cesse la tête vers la porte de la salle d'audience avec une expression proche de l'effroi. C'est qu'il éprouvait la crainte mortelle (oui, il en serait mort sur-le-champ, il en était sûr !) de voir apparaître M^{me} L.

# JOSEPH

CHAQUE soir, son service achevé, Joseph, l'infirmier martiniquais, montait s'asseoir au chevet de M<sup>me</sup> L. Toutes lumières éteintes dans la salle, il ne restait que la veilleuse qui éclairait moins le vieux visage et les draps gris qu'elle n'effaçait tout le reste. C'est cela qu'aimait Joseph. Il pénétrait dans cette lueur — Bonsoir, madame L. ! — comme dans un autre pays qui n'était ni le sien, perdu depuis si longtemps, ni cette fausse patrie à laquelle il s'acclimatait si mal.

M<sup>me</sup> L., sans tourner la tête, souriait :

— C'est toi, Albert ? demandait-elle d'une voix de nuages. Tu es bien en retard ce soir... Je ne dis pas cela pour moi, mon ami ; mais Julie, à quelle heure va-t-elle encore monter se coucher ?... Rien de neuf au bureau ? Est-ce que M. Lorgeon te fait toujours la tête ? Au fond, il n'a jamais admis ta promotion. Mais, crois-moi, c'est encore sa femme la plus déçue. Ne dis pas non !...

— Moi ? Mon Dieu, mais des courses, comme d'habitude. Ça me fait penser que j'ai oublié d'acheter ta verveine. Mon pauvre ami, il faudra te contenter de camomille ; mais demain, je te promets que demain...

M<sup>me</sup> L. a parlé trop longtemps. Son souffle en est un peu haletant. Il va s'apaiser, Joseph le sait. Il sait aussi que, dans un instant, la vieille voix ouvrira pour lui, à son insu, une autre province. Il attend. Suffira d'un geste : remuer sa chaise dans l'ombre, par exemple ; il remue sa chaise.

— Ah ! papa, vous voilà ? J'ai failli ne pas vous attendre. Vous avez déjà enfilé vos pantoufles, je parie... L'étude est si près : vous pourriez presque y aller chaque jour en pantoufles !... Que la vie est bien faite, papa, que la vie est facile ! Bon-papa était notaire ; vous avez épousé sa fille et pris sa suite. Comme cela, il peut à cinquante ans tailler ses rosiers dans sa belle maison de Saint-Germain... J'ai une idée : si nous apportions un Saint-Honoré, dimanche prochain, au lieu d'une tarte aux fraises ? C'est bonne-maman qui serait surprise !... Est-ce que tout le monde est aussi heureux que nous, papa ? Est-ce que, toute ma vie, je serai aussi heureuse ?... — Oui, j'ai bien travaillé. Je crois que je vais être encore inscrite au tableau d'honneur ce trimestre-ci... Quand vous rentrez, le soir, papa : quand je vous entends fermer la porte à clef derrière vous, il me semble que rien de mauvais ne peut nous arriver, ne pourra jamais nous arriver !... Dites, papa, qu'est-ce que c'est que le « Kaiser » ? Pourquoi parlent-ils tous du Kaiser ?... Papa, vous ne me répondez pas ?

Non, Joseph ne répond pas, Joseph ne répond jamais. M<sup>me</sup> L. a parlé d'une voix très haute et d'un seul trait, comme les enfants — et la voici tout essoufflée.

Joseph attend. A Joseph l'exilé, quelle autre famille la vieille dame va-t-elle encore donner ce soir ? L'oncle Adrien, dit « Honneur et Patrie », sombré avec son vaisseau au large des Dardanelles (« corps et biens », ajoute parfois M<sup>me</sup> L., et ces mots font rêver Joseph) ?... Ou son frère, le vieux garçon, l'homme à la barbiche, l'homme au chagrin d'amour ?... Ou encore ce cousin éloigné de sa mère, dandy de la Belle Epoque (mais qu'est-ce que « la Belle Epoque », Joseph ?) de qui M<sup>me</sup> L. tient ces refrains stupides qui lui mettent les larmes aux yeux ?...

Mais non ! M<sup>me</sup> L. vient de saisir avec une sorte de violence la main noire et rose et, d'une voix à peine perceptible :

— C'est toi, Raymond ?... Ah ! mon amour, enfin...

Personne ne t'a vu, au moins ? Surtout pas M^me Lorgeon qui épie toutes les allées et venues et qui me déteste ? Oh ! pour rien ; des histoires de bureau, des histoires de maris... Raymond, Raymond, ne parlons pas de tout cela ! Albert est parti pour deux jours — deux jours et trois nuits, mon amour ! (Sa main décharnée se crispe sur celle de Joseph.) Te rappelles-tu, il y a deux mois ? Non, cinquante-quatre jours ! Car je les compte, mon Raymond, les jours sans toi, sans ton corps si lourd sur le mien... te rappelles-tu cette nuit où nous n'avons pas dormi un seul instant ?

La main tachée de rousseur cherche l'autre mais se ferme sur le vide. Joseph s'est levé ; à pas de velours il vient de quitter la salle ténébreuse où ne veille plus que cette mémoire interdite. De quitter à jamais cette vieille femme qui, chaque soir, lui rendait une famille et qui, d'une voix sourde, vient de le rendre orphelin.

# LA FIN DU PETIT COMMERCE

**P**OUR assortir les laines, M<sup>lle</sup> Arlette remettait cérémonieusement l'échantillon à M<sup>lle</sup> Thérèse, sa sœur aînée, qui s'approchait de la fenêtre, écartait un chat offensé et tirait ses lunettes au plus loin sur l'arête de son nez. Ses sourcils se fronçaient aussi furieusement que les vagues à l'étrave d'un navire, et le silence, alors, pesait lourd. (Le chat s'était regroupé un peu plus loin, on n'entendait que son ronronnement.) Puis M<sup>lle</sup> Thérèse énonçait la teinte, in-fail-li-ble-ment.

En revanche, lorsqu'il s'agissait d'un bouton, M<sup>lle</sup> Arlette s'en emparait d'un air tout ensemble gourmand et défiant puis, grimpant sur un escabeau, commençait à fouiller dans les trésors de trois générations de mercières. Il existait en Europe des boutons qu'on n'aurait pu réassortir qu'à Chartres, rue neuve des Bernardins, chez les sœurs Desaizon. Ces réserves disparates, M<sup>lle</sup> Arlette les cachait au plus haut, tel un oiseau son nid. « Tu vas tomber!... Tu te crèves les yeux! » criait sa sœur, vaguement jalouse de la vue et de la vivacité de sa cadette, car il lui semblait que l'aînée eût dû conserver, sa vie durant, une taille plus élevée et de meilleurs yeux. A table, au cours de leur repas taciturne, elle prenait garde de se servir plus largement qu'Arlette. Le droit d'aînesse! Bientôt cinquante ans, l'autre quarante-sept : ces trente mois de différence comptaient autant qu'aux jours de leur petite enfance.

Mais Arlette (ce n'était pas un prénom d'aînée, convenez-en !) se sentait protégée par ces menus abus de pouvoir. Lorsque cet apprenti pharmacien, ce blond si timide, avait fait sa demande, elle n'avait pu se résoudre à dire oui puisque Thérèse n'était pas encore mariée. Il est vrai qu'elle n'aimait pas ce prétendant — mais qu'est-ce qu'aimer ? Et aussi que la perspective de vivre avec un homme l'effrayait, comme tout ce qui ne ressemblait pas au magasin maternel. Ce petit monde d'odeurs fades, de réserves grises, de monnaie qu'on rend en comptant tout haut, rien ne lui paraissait plus désirable, plus rassurant. Puisqu'il fallait sortir de l'enfance, autant continuer à jouer à la petite marchande — comme d'autres, qui se croient adultes, ne font que poursuivre leurs parties de gendarmes et de voleurs ou s'amuser au papa et à la maman. En deçà du carillon que déclenchait la porte de la boutique, le temps s'arrêtait et toute peur disparaissait avec lui. Le ronronnement du chat *Sultan,* seul mâle ici mais émasculé, rythmait la vie. Le soir, on faisait la caisse (Thérèse, bien sûr) : puis on montait à l'entresol, logement bas de plafond, doubles tapis, doubles rideaux — double héritage. Dans ce calfeutrement, Arlette se retrouvait au fond du ventre de sa mère, capitale de toute sécurité. Dans le royaume où cette mère avait régné quarante ans durant, Thérèse lui succédait de droit divin. A la mort de la vieille dame, le magasin était échu en indivision aux deux sœurs Desaizon ; mais c'était une fiction juridique : le droit d'aînesse pesait plus lourd que le Code civil. Le restant de l'héritage, *Charlotte* l'avait dévoré dans l'année.

Je cite ce prénom en baissant la voix, car on ne parle plus de Charlotte. Quelquefois, une cliente trop bien ou trop mal intentionnée demande : « Et votre sœur, toujours pas de nouvelles ? » Arlette laisse alors son aînée répondre d'une bouche étroite :

— Pas depuis la Seconde Guerre mondiale.

Ces mots confèrent à la sœur indigne une dimension historique ; mais Thérèse ajoute, dans un langage qui, lui, date d'avant 1914 :

— Elle doit faire la vie dans quelque ville de garnison...

Des nouvelles de Charlotte, les sœurs Desaizon devaient en recevoir le 27 octobre 1961, date inoubliable, par l'entremise d'une visiteuse en bleu (« J'ai tout de suite vu que ce n'était pas une cliente »), déléguée de l'Assistance publique et porteuse d'une masse de papiers que des cachets violets et rouges authentifiaient plutôt trois fois qu'une.

Elle leur apprit la mort de Charlotte (ce qui les soulagea plutôt) après « une longue et douloureuse maladie ». Il y avait donc une justice ! Mais pourquoi tant de certificats ? C'est que Charlotte laissait un petit garçon, de père inconnu bien évidemment.

— Cet enfant, comptez-vous le prendre ?

— Comment cela, « le prendre » ?

— L'adopter, officiellement ou non, l'élever enfin !

Les deux vieilles filles n'eurent même pas à se consulter du regard : c'était non, bien sûr. Ne suffisait-il pas que, depuis dix ans, l'ombre de Charlotte obscurcît de honte leur existence ? C'eût été un peu trop facile : on faisait la vie dans quelque ville de garnison, arrivait ce qui devait arriver — Thérèse avait toujours pensé que l'autre leur reviendrait enceinte, éméchée, pleurnichante ; morte, c'était plus convenable — et pfft ! on disparaissait, abandonnant le fruit maudit au pied de l'arbre : le ramasse qui veut.

— Alors, votre décision ? demanda la femme en bleu en regardant sa montre.

— C'est non, dit M^{lle} Thérèse, et l'écho d'Arlette répéta faiblement : Non.

— Votre sœur semblait espérer, au contraire...

— C'EST NON ! (« Nous dicter notre conduite, à présent ? »)

— Bien, fit l'assistante, et elle commença de ranger ses papiers sans l'expression d'un regret.

Elle n'était pas chargée de plaider : seulement de poser une question et d'enregistrer la réponse — et son train était à 11 h 17. Peut-être aurait-elle le temps de faire un tour jusqu'à la fameuse cathédrale...

Dans sa hâte, elle laissa tomber un document photographique, la face contre le sol. Arlette, qui mettait sa coquetterie à rester plus vive que son aînée, se pencha prestement, ramassa le portrait, le regarda au passage.

— C'est lui ? demanda-t-elle d'une voix mal assurée.

— Évidemment.

— Thérèse, regarde.

L'autre s'empara de la photo du geste même dont elle cueillait un échantillon à assortir et s'approcha du jour. Le chat, les lunettes, le silence...

— Comment... (Elle dut s'éclaircir la voix.) Comment s'appelle-t-il ?

« Qu'est-ce que cela peut bien leur faire ? » pensa la femme en bleu. Elle demeurait la main tendue, pour reprendre la photo.

— Pascal.

— Pascal, répétèrent-elles ensemble.

— Je ne puis vous laisser ce document : le dossier complet doit toujours accompagner l'enfant.

« L'accompagner *où* ? » Le destin incertain de Pascal se trouvait exposé d'une phrase. Comprirent-elles que c'était le petit garçon qui, sous peine de mort, ne devrait jamais quitter son dossier, et non l'inverse ?

— Il est blond, n'est-ce pas ? affirma Arlette.

— En effet... On distingue mal sur cette...

— Si, si, on voit très bien — n'est-ce pas, Thérèse ?

— Très bien, bougonna l'autre.

Elle supportait mal d'avoir de moins bons yeux que sa cadette et encore plus mal la pensée que cette femme indifférente connaissait de vue le petit garçon, et pas elles. (Je veux dire : et pas elle, Thérèse.) Elle se demandait comment « échantillonner » Pascal ; aucun *enfant* n'avait jamais pris place dans sa vie, excepté Arlette qui, d'un coup, à cause de cette photo fanée, rejoignait son âge véritable aux yeux de l'aînée. Un être tout neuf... Tout son capital d'expérience, hérité puis patiemment arrondi, soudain ne pesait plus rien devant ce méchant portrait.

Arlette vit que le dos de sa sœur la démangeait, symptôme d'humeur qu'elle redoutait d'ordinaire mais qui, cette fois, la réjouit : il trahissait une incertitude où elle-même se débattait. Pourtant, comment aurait-elle deviné que ce malaise portait remède à l'une des terreurs familières mais inavouables de Thérèse : celle du temps qui passe ? La monotonie de leur vie entre le chat, l'inventaire et le carillon lui apportait à la fois l'assurance et l'angoisse ; car enfin, « était-ce vraiment vivre ? » Le silence même du sablier l'effrayait. « La petite » (Arlette, quarante-sept ans) ne s'en avisait pas, Dieu merci ! Ce devait être un sentiment d'aînée, l'un de ces contre-privilèges qu'il s'agissait d'assumer d'un cœur égal. Or, ce visage d'enfant ramenait tout à zéro, l'angoisse et la sécurité. Son dos la démangea de nouveau ; elle dut le gratter contre la frêle colonne de fonte qui soutenait tout l'édifice Desaizon.

— Ma photo, je vous prie ! réclama l'assistante. (L'incompréhension des *usagers* puis leur incertitude, voilà ce qui rend fatigant le métier des gens en bleu.)

— Nous pouvons bien la garder, fit vivement Arlette. Après tout... Pascal est notre neveu !

A peine prononcés, ces mots parurent se pétrifier, prendre poids et volume ; « notre neveu Pascal » se tenait désormais entre les trois femmes.

Thérèse dévisagea sa sœur avec une stupeur offensée qui la fit ressembler au chat *Sultan* : Arlette n'était-elle pas en train de « prendre l'initiative » ? Il suffisait donc d'une inconnue en bleu et d'un prénom pour que le monde basculât ? De crainte de se voir dépassée, elle se jeta en avant.

— Garder cette photo ne signifie rien, dit-elle à sa sœur d'un ton supérieur, c'est de l'enfant qu'il s'agit !

— Tu veux dire que nous...

— Je veux dire que nous sommes parfaitement libres de prendre chez nous notre neveu.

Elle regarda l'assistante avec un air de défi.

— Mais je n'ai jamais dit le contraire, dit l'autre exaspérée. (Adieu, la cathédrale !) Il faudrait seulement que vous preniez connaissance de ce formulaire, que vous signiez conjointement...

— Conjointement ? sourcilla Thérèse.

— Conjointement ces trois engagements, que vous recopiiez...

— Et de combien de temps disposons-nous pour réfléchir ?

— Mais...

Arlette ouvrit la bouche ; sa sœur eut tellement peur de l'entendre outrepasser son rôle de cadette que, sans attendre la réponse de l'assistante, elle ajouta vivement :

— D'ailleurs, c'est tout réfléchi.

Le nombre de lainages et de boutons que Chartres trouva à réassortir durant l'hiver de 1961 défie toutes les statistiques. A l'instant de payer :

— Et comment se porte le petit garçon ?

— Ah ! vous êtes au courant ? Cette pauvre Charlotte...

La sœur indigne, la traînée des garnisons devenait « cette pauvre Charlotte » ; c'est la promotion coutumière des morts, surtout lorsqu'ils laissent un héritage. Celui de Charlotte était blond, piqueté de fossettes, avec des cuisses rondes et roses comme des nuages au couchant et un sourire permanent — « Comme tous les enfants qui doivent se faire admettre », pensaient sèchement quelques dames patronnesses. Un sourire avec...

— Mais il a déjà deux dents !

— Oui, disait modestement Arlette, il est en avance pour tout.

Elle avait perdu sa place confortable et veule de cadette mais ne s'en souciait plus : de jour en jour (de nuit en nuit surtout) elle devenait mère. Tout ce qui n'était pas la toilette, les interminables repas, la trop brève promenade du bébé — tout ce qui, auparavant, composait sa joie quotidienne lui pesait à présent. Thérèse avait dû apprendre à réassortir les boutons au risque de se rompre le cou sur l'escabeau. C'était elle qui « se crevait les yeux » et l'opticien, leur voisin, avait déjà renforcé les verres de ses lunettes. Mais le magasin représentait désormais bien autre chose pour elle que la sécurité quotidienne. Une « affaire de famille » : Thérèse n'avait jamais usé de cette expression qu'en songeant au passé ; maintenant, elle se tournait vers l'avenir. La boutique représentait toujours un héritage, mais plus celui qu'elle avait reçu de sa mère : celui qu'elle léguerait à Pascal Desaizon, neveu et successeur. Faire fructifier un « petit commerce de dames » (un peu plus menacé chaque année) pour assurer l'avenir d'un petit garçon de quatorze mois, elle s'accordait ce prétexte stupide afin de n'avoir pas à donner ses soins à un bébé dont la fragilité l'effrayait — l'avait toujours effrayée, à peine sortie elle-même de cet âge ! Dès l'enfance, Thérèse s'était juré de ne pas se marier, non par crainte des hommes mais des petits enfants. Comment Arlette osait-elle plonger celui-ci dans sa minuscule baignoire en le soutenant seulement par cette nuque plus vulnérable que celle d'un lapin ? Le retourner si brutalement, le poudrer comme on enfarine un poisson ? Etait-elle inconsciente ? — Oui, comme toutes les jeunes mères, Dieu merci ! « D'où lui est venu ce don si subit ? » se demandait Thérèse avec méfiance, sa qualité d'aînée la privant évidemment du droit d'admirer. C'est qu'Arlette réalisait le rêve de bien des femmes : avoir un enfant sans devoir supporter un mari ni souffrir les douleurs de l'accouchement. (« C'est votre guerre à vous autres ! » disait leur père qui, en quelques mots, les condamnait à la stérilité, car les récits bleu horizon et rouge sang de sa guerre à lui avaient terrifié leur enfance.)

Cependant, Thérèse, tombée une fois de plus dans le piège de l'aînesse, jouait le rôle du père et feignait de se plaindre des responsabilités que lui imposait Pascal. L'une déplorait ses devoirs, l'autre ses menues obligations — plaintes heureuses, comme celles des colombes. Aucune n'écoutait celles de l'autre, et chacune des deux sœurs se persuadait en secret que, sans elle, ce « malheureux enfant... ». Ils formaient déjà, on le voit, une véritable famille.

La définition du bonheur avait insensiblement changé, chez les sœurs Desaizon, comme la senteur du logement : celle de l'eau de Cologne, du lait, des couches sales avait oblitéré l'odeur centenaire des laines, de la poussière, du chat. Il avait fallu se séparer de *Sultan* qui s'obstinait à jouer sur le berceau, les couvertures de fourrure. « Un chat étouffe un bébé durant son sommeil » — c'est l'un de ces drames légendaires qu'on se transmet de mère en fille, car l'Occident possède aussi sa magie noire qui est composée de faits divers. *Sultan* avait donc été donné, sans déchirement de part ni d'autre, et il avait transféré à l'autre bout de la ville son sommeil, ses étirements cruels, ses toilettes minutieuses. Le reste du décor avait également changé. Pour la première fois depuis un demi-siècle, des peintres avaient pénétré aux *Nouveautés Parisiennes* et rendu l'une des pièces de l'étage aussi blanche que leur blouse. Thérèse l'appelait « la nursery », Arlette « la chambre d'enfant » mais le mot ne serait jamais au pluriel. Tout ce bonheur tenait aux creux d'un seul berceau dont on s'inquiétait déjà qu'il devînt trop petit. Le minuscule poing d'un enfant endormi tenait serrée la vie des deux vieilles filles.

De 1961 à 1970, à en croire les journaux, il se passa dans le monde toutes sortes de guerres, de révolutions, de catastrophes. Pour les sœurs Desaizon, les seuls événements notables furent d'un tout autre ordre. Il y eut le jour où il marcha seul d'une citadelle à l'autre : des bras de Thérèse à ceux d'Arlette. Il y eut la varicelle : s'il se grattait les joues, il risquait d'en être défiguré ! On dormit peu ces nuits-là, rue neuve des Bernardins. Pourtant, le médecin causait aux deux sœurs plus de désagréments que le patient. Pascal, après l'avoir détesté, ne le craignait plus, s'attachait à lui, reconnaissait sa voix, son pas — et elles en devinrent jalouses. Elles avancèrent toutes sortes de raisons pour changer de médecin ; aucune n'était bonne sauf la seule inavouable. Elles le conservèrent donc, la mort dans l'âme, souhaitant confusément qu'il dût faire des piqûres au petit garçon afin que celui-ci le détestât de nouveau. Puis ce fut la rougeole, très dangereuse à cet âge, comme on sait... — « Mais non ! plus à deux ans passés ! » — *Tsst tsst,* répondait aigrement Thérèse à une mère de cinq enfants, vous n'y connaissez rien !

D'ailleurs, elles commençaient à maudire cette clientèle qui apportait tous ses microbes au magasin. Lorsque le carillon sonnait, Thérèse faisait *tsst ;* elle se tenait aussi loin que possible de la cliente et abrégeait les commérages qui sont, en province, l'âme du petit commerce. Un jour, M^{me} Poitrinal se présenta avec sa plus jeune fille dont la tête était entourée de bandages. Otite ? Méningite, peut-être ! Arlette les mit proprement à la porte. Thérèse l'en approuva mais la regarda d'un autre œil : jamais auparavant sa cadette n'eût agi de la sorte sans la consulter. Inconsciemment, chacune d'elles commença de tenir les comptes de ce qu'elles faisaient pour le petit. Comptabilité « en partie double » car les apports de l'autre y étaient plus scrupuleusement recensés que les siens propres. On prenait l'innocent à témoin : « Regarde ce que tante Thérèse t'a *encore* apporté ! » disait tante Thérèse assez fort pour être entendue d'Arlette. L'autre, un peu plus tard, en haussant la voix : « Allons, il n'y a qu'avec tante Arlette que tu manges sans pleurer... »

Au bout du compte, chacune des deux se voulait, se croyait la préférée. Pourtant, le regard de Pascal, courant de l'une à l'autre, son insistance à tenir chacune par la main à la promenade, auraient dû leur faire comprendre que seul ce double amour pouvait inséparablement garantir sa sécurité. C'est la vérité de tous les enfants, bien gênante pour les adultes lorsqu'ils ne s'aiment plus.

Le cycle des événements se poursuivait. La joie de Noël ; puis les larmes quand il fallut lui apprendre (Arlette en retardait le moment de décembre en décembre) que le père Noël n'existait pas. Les larmes, le premier jour, à l'école ; puis la joie de retrouver « les petits amis » du lundi matin. On n'était plus jaloux du médecin, rue neuve des Bernardins : on le devint de la maîtresse. Cette communauté de sentiments leur fut douce au sein de leur concurrence sournoise et de cette jalousie mutuelle, seul nuage qui assombrissait leur paradis. La foudre allait y tomber trois fois.

Tous les jours, Arlette emmenait le petit en promenade. Elle feignait que ce fût une corvée ; et Thérèse ne manquait pas de rappeler, chaque fois, que « si elle n'avait pas ét  à pour tenir le magasin... ». En fait, elle n'aurait pas supporté deux heures de tête à tête avec un petit garçon *qui l'intimidait.* Deux heures — mais, ce jeudi-là, il y en avait déjà plus de quatre qu'ils étaient partis ! Subitement, Thérèse se sentit inquiète, assiégée de pressentiments, et se reprochant, par surcroît, de n'avoir jusqu'à cet instant été que jalouse. Lorsqu'Arlette rentra enfin (le petit avait voulu assister à une seconde séance du guignol, puis goûter dans une pâtisserie, puis...), l'aînée coupa court à ces explications qui ne faisaient qu'envenimer sa plaie : cette double ration de bonheur dont elle avait été frustrée... Si elle supportait mal l'excitation de Pascal (mais comment en rabattre sans se rendre impopulaire ?), le sourire d'Arlette l'exaspérait. Cette complicité heureuse la reléguait, elle, l'aînée ! C'est le tourment habituel des pères. Toutefois, elle ne parla que de son inquiétude : « Tu aurais pu me faire prévenir ! » (Après l'alerte de la varicelle, on avait installé le téléphone ; il ne sonnait jamais.) Et encore : « Le froid tombe avant le soir, à présent. Si le petit a un bon rhume demain... » Mais elle pensait déjà bronchite, pneumonie.

Arlette demeura impavide. La joie est un arbitre irrécusable : elle se sentait sans reproche.

— Tu comprends tout de même, dit enfin Thérèse, que j'ai pris la responsabilité de cet enfant et que...

— Et moi ? fit seulement Arlette. Oui, mon chéri, j'arrive !

Thérèse la regarda s'éloigner ; elle lui paraissait plus grande. Cette fois, le droit d'aînesse était définitivement aboli, avec deux siècles de retard, rue neuve des Bernardins.

La seconde tempête fut beaucoup plus feutrée. Pareille aux orages d'août, elle n'éclata jamais vraiment ; mais, bien des jours après, un éclair de fureur brillait encore parfois dans les yeux de Thérèse : ses sourcils se rapprochaient comme des nuages et elle ne pouvait retenir un grommellement dont on ne savait s'il était un brusque retour ou seulement l'écho de l'ancienne colère. Pascal venait d'atteindre ses neuf ans. Ses mères le considéraient volontiers comme Blaise Pascal, et Wolfgang Amadeus Mozart réunis, et il est vrai qu'il se montrait précoce. On obtint une dispense pour qu'il puisse entrer en classe de sixième ; mais dans quelle section ? Celle où l'on enseignait encore le latin ?

— Bien sûr, trancha Thérèse.

— Certainement pas, dit Arlette (qui, après avoir été nourrice et promeneuse, était devenue directrice des études et refaisait les siennes avec un petit mois d'avance sur Pascal).

— Et pourquoi, je te prie ?

— Parce que c'est une langue morte qu'il ne sert à rien de connaître. Pascal est déjà doué pour les sciences : qu'il apprenne en outre deux langues vivantes et il sera armé pour son époque.

— Ce sont des idées toutes faites, répliqua faiblement l'aînée. De nos jours, tout le monde parle l'anglais et l'espagnol ; quand on est doué comme le petit, ce qu'il faut c'est se différencier des autres.

Argument auquel elle-même ne croyait pas, et cela s'entendait. Mais comment livrer ses vraies raisons si cette sotte ne les devinait pas ? « Notre seule chance de conserver Pascal auprès de nous et qu'aucune fille ne nous le prenne est qu'il se fasse prêtre ; et, pour cela, qu'il apprenne le latin... »

— Mais, reprenait l'autre, n'as-tu pas dit autrefois que tu rêverais qu'il fût médecin ? (Elle l'avait dit, en effet : c'était une autre forme d'égoïsme.)

— Eh bien, se trahit-elle, pour les études médicales

*aussi* on ne peut se passer du latin. D'ailleurs, remettons-nous-en à l'arbitrage du proviseur.

Au premier coup d'œil, elle jugea la partie perdue : elle s'était figuré une couronne de cheveux blancs, la rosette ; il était coiffé en brosse et portait des lunettes de matheux, pas de vieillard. C'était donc en vain que, depuis des années, elle conduisait Pascal à la cathédrale par un chemin qui n'était pas le plus court : des ruelles obscures et tortueuses qui soudain débouchaient sur le château fort de Dieu, au pied du grand navire aux mâts vertigineux. Comment préférer un métier ou une femme à cette aventure-là ? C'était l'heure où le soleil abdique, où s'attristent les grandes rosaces, veuves hautaines, où Notre-Dame-de-la-belle-verrière échange sa cape d'azur pour une cape d'océan. Pascal serrait la main de Thérèse, peur et confiance mêlées. Cette fois, ils étaient aussi intimidés l'un que l'autre. Il se sentait très petit mais très aimé, et davantage à l'abri dans cette immense maison dont on distinguait plus la voûte comme dans sa petite chambre au plafond bas. Ou encore tante Thérèse lui achetait un autel miniature avec des bougies naines et tout un attirail de sacristie. On s'agenouillait devant ce décor minuscule pour la prière du soir, on jouait à la messe en singeant gravement le prêtre. Le latin…

Pascal entra en « math-langues vivantes ». Arlette avait encore gagné ; Thérèse commençait à comprendre qu'elle n'avait pas choisi la meilleure part. Mais le troisième orage allait les foudroyer l'une et l'autre : Pascal mourut l'année suivante d'une crise d'appendicite opérée trop tard. La foudre…

Si hébétées qu'elles ne pouvaient même pas pleurer. Le ciel le fit à leur place : l'inscription tracée à la hâte « FERME POUR CAUSE DE DECES » déteignait et coulait, tel un visage trop fardé que submergent les larmes. « Décès » était un mot bien imposant pour un cercueil aussi petit. On était passé de la clinique blanche à l'église noire, du jour à la nuit ; le magasin était tombé au fond du silence : quand le carillon tintait, les deux somnambules sursautaient ensemble. Et cette pluie, dehors, cette citerne inépuisable, comme pour effacer, effacer...

Après quelques jours, chacune des sœurs s'avisa que l'autre survivait et commença de comparer jalousement leur désespoir. Thérèse, pour tenir sa place, prenait garde de manger à peine. « Force-toi, voyons ! » Mais, quand Arlette garda le lit une journée (« Je me sens mal... ») « Allons, tiens-toi ! » gronda Thérèse.

On avait fermé la chambre du petit : un second tombeau. Plus bas de plafond que jamais, le logement paraissait se recroqueviller comme une bête mutilée. Un matin (le même, Dieu merci), les deux sœurs noires furent saisies de vertige : ce vide, ce silence leur étaient devenus insupportables. Ne jamais évoquer Pascal, c'était le faire mourir une seconde fois.

« Et te rappelles-tu, quand il n'avait pas envie d'aller à l'école, il gardait les yeux fermés, il faisait semblant de ne pas pouvoir se réveiller ?... Et le soir où il nous a dit... » Cette fois, la citerne débordait, les souvenirs leur remontaient aux lèvres en désordre et chacune volait à l'autre la parole, à qui ressusciterait Pascal. Elles parlaient droit devant elles, en fermant les yeux, pour ne plus voir un magasin mort, une porte fermée, une femme en deuil, mais seulement un petit garçon vivant, dont les intonations leur échappaient déjà — mais aucune ne l'eût avoué.

Lorsqu'elles s'écoutèrent enfin l'une l'autre, elles s'avisèrent que leurs souvenirs n'étaient pas les mêmes. Pascal avait donc deux profils ? Aucune ne l'admit : chacune entendait le garder tout entier pour elle seule. Elles continuèrent donc d'inventorier leur bonheur défunt, mais chacune pour son compte. Des tonnes de silence...

Arlette cessa brusquement de recenser ses souvenirs. Il lui semblait qu'elle dilapidait un trésor qu'elle ne pourrait jamais reconstituer ; et que lorsqu'elle évoquait ces instants, elle les éventait aussi, pareils à ces fresques qui s'estompent imperceptiblement toutes les fois qu'on les expose. Thérèse, au contraire, bête de labour, recreusait chaque jour ses sillons de mémoire, toujours les mêmes, sans s'aviser que le reste du champ tombait en friche. Mais, à la longue, les souvenirs d'Arlette s'effaceraient aussi. Elles ne le savaient pas encore que les survivants ne peuvent guère choisir qu'entre un musée de cires dont les salles ferment l'une après l'autre et un désert vaguement hanté.

Après quelques discussions stériles et blessantes sur l'exactitude de tel ou tel épisode, vilain jeu où tour à tour elles marquaient des points mais sans jamais gagner, les deux mères cessèrent donc tout à fait de parler de Pascal. Chacune se le reprochait et le reprochait à l'autre.

Le carillon résonna de nouveau. Thérèse reprit en main le magasin avec une sorte de frénésie. L'instinct de conservation la ramenait impérieusement vers les boutons et les laines à assortir, elle seule. Elle retrouvait avec un lâche soulagement les gestes d'autrefois, les paroles, les mines. D'ailleurs, la douleur rabattait la clientèle. On hocha beaucoup la tête rue neuve des Bernardins, on soupira longuement, on répéta : « Pauvre petit, il est mieux où il est, allez ! » Lorsqu'elle entendait le carillon, Arlette fuyait à l'étage. Thérèse l'entendait piétiner dans la chambre blanche, fouiller dans les placards, et cela l'irritait. Cet héritage inexistant que sa cadette trouvait le moyen de capter... En bas, tout avait repris son train et l'odeur ancienne régnait de nouveau. Pas tout à fait : il y manquait le chat. Thérèse songea à le reprendre ; elle en fit part à Arlette.

— Comme avant, alors ? demanda seulement l'autre avec un visage où le mépris l'emportait sur le chagrin.

On ne reprendrait pas *Sultan*. Mais, du moins, on n'allait pas conserver cette chambre condamnée, ces tiroirs pleins. Thérèse proposa habilement de donner les affaires de Pascal à des « petits pauvres » et, comme Arlette refusait sans fournir de raisons :

— Ce serait pourtant l'aimer vraiment ! dit l'aînée non sans perfidie. (Elle se sentait quitte.)

La clientèle n'achetait pas davantage mais exigeait un

plus grand choix. Le stock encombrait la boutique. « Il faudra bien tout de même lui trouver une place ! » répétait Thérèse qui voulait qu'Arlette proposât d'elle-même la chambre « inutile » — ce qu'elle fit enfin.

— Tu comprends, dit l'aînée, à présent il ne nous reste plus que le magasin…

— C'est vrai, murmura Arlette, il ne nous reste plus rien ! — et elle éclata en sanglots.

Thérèse prétendit la consoler, comme autrefois ; l'autre la repoussa presque. (« Cette boutiquière »…) Cette boutiquière comprit enfin qu'elle avait perdu d'un coup son enfant, sa sœur et son associée, mais elle en conçut plus d'amertume que de peine.

Ayant sauvé Thérèse au prix des compromis habituels, l'instinct de conservation se tourna vers Arlette. Il lui souffla de retourner se promener, *comme d'habitude,* dans ces jardins où, la main dans la main, si peu de temps auparavant… Arlette s'y rendit tous les après-midi. Passé le romantisme complaisant sur « l'automne en deuil comme nous-mêmes » et « l'insensible nature qui survit à nos amours », elle trouva parmi les arbres et les oiseaux une insidieuse consolation. Les arbres, les oiseaux, les enfants… Le jour où elle se surprit à leur sourire sans, pour autant, détester ces mères satisfaites, elle comprit non sans honte qu'elle commençait à guérir. Cela la fit pleurer, mais de tout autres larmes.

Des magasins « de grande surface » s'installaient aux abords de la ville. Suivant la tactique des armées de siège, ils dressaient chaque fois leur camp un peu plus près ; on voyait le vent agiter leurs oriflammes et, la nuit, briller les lumières du bivouac. Avec l'assurance que procurent, en France, les formules « Maison fondée en 1847 » ou « gendre et successeur », les commerçants de la ville, qui appelaient par son nom chacune de leurs clientes, commencèrent par se gausser de ces caravansérails où l'on se promenait, un panier de métal à la main, sans prononcer un mot. « Avec les Français, croyez-moi, cela ne prendra pas… » — Cela prit. Le chiffre marqué sur l'étiquette comptait plus que trois générations de bon voisinage, de bonbons offerts au petit et de « Bah, vous me paierez demain... ». Les commerçants crièrent : Au voleur ! Personne ne les crut : on avait trop longtemps vu le tiroir-caisse s'entre-bâiller entre deux *ding* sur des liasses de billets.

Cette menace, cette plainte collectives soulagèrent les sœurs Desaizon : elles atténuaient leur discorde et masquaient le déclin personnel des *Nouveautés parisiennes*. Thérèse se rendit dans le camp des monstres ; on y vendait la mercerie à moitié prix.

— Ils bradent, dit-elle à sa sœur, ils bradent ! (Parfois, au cœur d'un désastre, on se console avec un mot.) Mais bah, ma pauvre Arlette, le magasin durera bien autant que nous...

Elle se trompait. Le propriétaire de l'immeuble rue neuve des Bernardins mourut subitement et son héritier, qui connaissait les lois, avant même de quitter sa cravate noire, doubla le loyer de la boutique. Thérèse fit ses calculs : impossible de poursuivre l'exploitation. Un vieillard ou un grand malade, le plus léger accident le condamne ; les *Nouveautés parisiennes* étaient à la fois l'un et l'autre. Elles auraient peut-être résisté « aux grandes surfaces » ou à l'augmentation du loyer, mais pas aux deux. Il fallait vendre le fonds au plus tôt ; on placerait l'argent en viager à la dernière survivante et l'on vivoterait — mais à quoi bon en parler d'avance à cette pauvre Arlette ?

Elle était devenue « cette pauvre Arlette » depuis sa brouille avec Dieu. Thérèse faisait dire des messes pour le repos de l'âme du petit garçon ; mais l'âme de Pascal, Arlette le sentait bien, ne pouvait rester en repos ! Elle chantait, riait, courait ailleurs !

— Tu ferais mieux de faire dire tes messes pour nous autres, jeta-t-elle un jour à Thérèse qu'elle scandalisa.

Elle refusa tout net d'assister à ces messes, puis à celle du dimanche. Elle tenait Dieu pour directement responsable de leur malheur, ce qui demeure une façon pathétique de croire en lui. Mais Thérèse entreprit de la catéchiser et elle préféra rompre toute relation avec ce

Dieu-là. Un matin, Thérèse trouva dans la poubelle le petit autel, les chandeliers, l'ostensoir nain ; pour l'honneur de Dieu, elle ne le pardonnerait jamais à sa sœur.

Elle désespérait de trouver un acheteur et guettait chaque courrier, lorsqu'une lettre lui fit pousser un tel « Ah ! enfin… » qu'Arlette accourut.

— Que se passe-t-il ?

— Un acheteur pour notre fonds de commerce !

— Mais…

— Je ne te l'avais pas dit afin de ne pas t'inquiéter. (Elle avait retrouvé son ton d'aînée.) Nous ne pouvons plus tenir devant la concurrence, il fallait vendre à tout prix.

— Mais quand as-tu… ?

— Il y a dix semaines.

— Dix semaines !

Elles mesurèrent ensemble l'épaisseur du mur de silence qui les séparait désormais.

— Et tu as trouvé un mercier qui reprendrait notre…

— Pas tout à fait, dit Thérèse en lui montrant l'en-tête de la lettre : TOUT POUR LA MERE ET L'ENFANT.

Elle ne comprit pas pourquoi sa sœur la considérait avec une telle haine avant de s'enfuir dans sa chambre — non ! dans celle de Pascal.

Le prix offert leur permettait tout juste de subsister à la condition de vivre ensemble : séparées, ce serait l'hospice, tôt ou tard. Mais Arlette n'avait jamais su calculer et elle n'écouta pas sa sœur. TOUT POUR LA MERE ET L'ENFANT… Elle ne l'écouterait jamais plus.

Elles se partagèrent donc l'argent, les meubles, les objets, sans un mot, faisant assaut d'un désintéressement hargneux. Elles détruisaient les tristes archives familiales avec une sorte de fureur. Comme elles jetaient un dossier verdâtre, une photographie s'en échappa et tomba sur le sol, la face cachée ; mais elles la reconnurent ensemble : c'était celle que la femme en bleu leur avait laissée, le premier jour. Cette fois, ce fut Thérèse qui la ramassa prestement.

— Je la garde.

— Pourquoi toi ?

— Parce que...

« Parce que c'est moi l'aînée... » — Elle pressentit qu'Arlette avait deviné sa pensée ; la honte la rendit furieuse.

— Tu voudrais peut-être que nous la tirions au sort ? reprit-elle. Eh bien, tiens !

Salomon détestable, elle déchira l'image et en jeta la moitié à son ennemie. C'était sa vie, leur vie entière qu'elle venait de déchirer.

— Au fond, murmura-t-elle sans lever les yeux ; il aurait peut-être mieux valu que jamais cet enfant...

— Tais-toi ! cria Arlette.

## PASSE UN ORPHELINAT

PASSE un orphelinat de garçons, en rang par deux.
Qu'est-ce qui le distingue d'un patronage ? L'absence
de ballon. D'une file de collégiens ? Celle des cartables.
Qu'est-ce qui le distingue de l'un et de l'autre ? Ces
visages clos, deux murs en marche, cette docilité toute
défensive. Cherchez un regard — ils vous fuient ; au
départ comme à l'arrivée, il manquera toujours quelqu'un à l'appel, et c'est la joie. Passe un orphelinat.

— *Allons, Martin, pressons !*

Martin a pris trois pas de retard ; c'est qu'un chien
insouciant vient de couper leurs rangs et qu'il le suit des
yeux, la bouche ouverte. Il ressemble, le chien, à celui
des... — Ah ! comment s'appelaient donc ses premiers
parents nourriciers ? Martin se rappelle l'odeur grise de
la blouse de la « mère », le geste du « père » pour
déboucher les bouteilles, mais pas leur nom. Il se
rappelle aussi... — Non, il veut ne rien se rappeler : il
connaît trop l'enchaînement des souvenirs (des nuits
entières, les premiers temps) et où ils le conduisent. Si
l'inspectrice n'était pas passée, ce vendredi-là... Il se
raconte, il raconte aux copains qu'il avait dérobé la
hache et qu'il aurait abattu le père — aussi sec mon
vieux ! — si l'autre avait de nouveau levé la main sur
lui. Mais il sait bien que ç'eût été tout le contraire et
que, cette fois-là, si l'inspectrice n'était pas passée...

60

Les bouteilles. C'est pour cela que l'odeur du vin lui donne la nausée. Quand on leur en verse un verre, le dimanche à midi, il l'échange avec son voisin de lit contre des souvenirs. Car Armand, ce voisin, a connu ses parents, morts ensemble dans un accident de camionnette quand il avait huit ans. Armand a vécu huit ans avec des parents, des vrais... Raconte ! Et le soir, avant de te coucher, ta mère, qu'est-ce qu'elle te disait ? Et le dimanche matin, tu allais dans leur lit ? Dans leur lit ! Jusqu'à quel âge ? Et le jeudi après-midi, qu'est-ce que vous faisiez ? Armand aidait sa mère à étendre le linge, il tenait les pinces, c'était barbant. Ensuite, elle l'emmenait au cimetière sur la tombe de Mémé — tu parles d'une rigolade ! Mais Armand en rajoute : le cinéma, le pâtissier, etc. Non pas pour se vanter, mais pour mériter un verre de vin ; et surtout parce que cela fait plaisir à Martin. Pourtant, s'il racontait seulement les pinces à linge, Martin pleurerait de nostalgie. Le cinéma, le pâtissier : avec assez d'argent, n'importe qui peut se l'offrir — mais la tombe de Mémé !

Son seul copain, à la ferme, le seul type qui l'aimait, c'était le chien : Tiloup. Son nom à lui, Martin ne l'oubliera jamais. Quelle race ? — Drôle de question ! Il y a donc plusieurs races de chiens ? Pour Martin, il y a Tiloup à jamais, et puis, à travers le monde, des animaux qu'on appelle des chiens bien qu'ils soient différents de Tiloup. (Par exemple, celui qui vient de traverser les rangs et qu'il suit encore du regard.) Le soir, Martin feignait de dormir et, quand les vieux ronflaient (chacun à sa manière : lui à l'ivrogne, elle à la bigote, sifflante, pincée), il allait pieds nus entrouvrir la porte et Tiloup entrait. Ne remue donc pas ta queue comme ça, tu vas renverser le tabouret ! Tiloup entrait et se couchait sur le lit de Martin. La vache ! il était lourd, c'était bon. Et, le matin, réveillé le premier il lui torchait la figure d'un coup de langue, la vache ! Alors, à pas de loup jusqu'à la fenêtre, pousser le volet de droite (l'autre grinçait) et hop ! Mais saute donc imbécile, les vieux s'agitent ! Un matin, les vieux « s'étaient agités » les premiers... Martin en portait encore la trace, regarde ! Mais si, Armand, cette ligne rose au-dessus de l'oreille. Pourtant, le père n'était pas encore saoul à cette heure-là !

Armand écoutait à son tour les souvenirs de la ferme. Martin, lui, ne réclamait rien en échange ; il aurait plutôt échangé par surcroît son chocolat pour être écouté. Ici, personne n'écoutait personne : tout le monde parlait devant soi. Tiloup écoutait, lui. « Un matin, on file tous les deux ; le jour, on se cache ; la nuit, on marche ; on arrive à un port ; je m'engage comme mousse et tu me rejoins à bord, la nuit avant le départ... » La nuit : tout se passe la nuit, dans les rêves de Martin ; la nuit est son royaume. Tiloup ! oh ! Tiloup... Lui ne pleure jamais, ses yeux le piquent et sa gorge devient brusquement ce qu'elle est : une machine d'os de cartilage, lorsqu'il pense à Tiloup — et c'est la nuit, bien sûr. Il l'appelle tout bas, puis plus fort. « Ta gueule ! » fait Armand en se retournant. « C'est bientôt fini ? » demande le pion de nuit, depuis sa case de toile blanche plantée à l'entrée du dortoir. Tiloup, es-tu toujours là-bas ? N'es-tu pas parti à ma recherche ce vendredi-là ? Ou bien as-tu refusé de manger après mon départ ? Te bat-il toujours, le salaud, le fumier, la brute ? (C'est la litanie des faux parents : la seule prière du soir de Martin.)

Le chien qui a traversé les rangs s'éloigne, une oreille retournée par le vent, comme Tiloup. Et si c'était Tiloup ? Et si, un jour, Tiloup traversait les rangs comme lui ? Et si, une nuit...

— Dis donc, Armand !

— *Silence dans les rangs !... Roger, on regarde devant soi en marchant !*

« Ta gueule, Puceau ! pense Roger. (C'est le surnom du pion à lunettes.) Tu ne peux pas comprendre... » Comment regarder devant soi quand une fille pareille longe votre groupe et presque du même pas. *Presque,* hélas ! Elle avance imperceptiblement plus vite et, dans un instant, Roger la perdra de vue. « Hé ! magnez-vous, les gars ! » La perdre de vue ? Non, mais déjà il ne voit plus que son dos, ses hanches en forme de caresse longue et ce déhanchement tout involontaire, et d'autant plus provocant. Les gars ne s'y trompent pas : « Visez les fesses de la fille ! jette l'un d'eux à mi-voix. Terrible ! » Mais Roger s'en moque bien ; il a tout perdu en cessant de la voir de profil : seules les poitrines l'intéressent — non pas l'intéressent, mais le fascinent, le hantent jour et nuit, veille, somme et rêves ! Pour lui tout le mystère du sexe, l'attrait irrésistible de la femme résident dans ses seins. Ce qui se passe plus bas ne le séduit pas du tout, le dégoûte un peu, l'effraie surtout. C'est, pense-t-il (il n'en sait rien, puceau lui-même), une conclusion inévitable, une sorte de rituel qui ne fait qu'abréger les seules délices dont il rêve à s'en rendre malade : caresser interminablement les seins d'une femme. Ceux de cette fille, par exemple. Il les revoit avec une précision absolue — tenez ! il pourrait vous les dessiner, là, d'un seul trait, sans retouches... De profil, naturellement ! Car, de face, ils paraissent bêtes et l'on ne voit guère que leurs défauts ; tandis que, de profil, pas un n'est tout à fait pareil à un autre. La seule vraie personnalité d'une fille est dans le profil de ses seins ; et elle n'en sait rien, l'idiote ! Elle se choisit un soutien-gorge bien flatteur et qui l'assimile à toutes les autres. Mais on ne trompe pas Roger comme ça ! Son regard (qui ne descend jamais plus bas que la ceinture) déshabille le buste des filles, défait l'artifice, libère les deux seins soudain étonnés, autonomes. Ils reprennent alors leur poids exquis, leurs mouvements nonchalants, chacun pour son compte. On dirait qu'ils n'appartiennent plus à la fille mais à tout ce qui les caresse : la lumière, l'eau, le vent, et Roger, les yeux, les paumes, les lèvres de Roger. Il en transpire, il en pleurerait. Ses mains vides lui paraissent lourdes, inutiles, mortes. Oh ! cette fille...

Il pense toujours fille, jamais femme. Il lui semble que, de l'une à l'autre, les seins changent. Seins de première main et seins d'occasion ? Non, mais ils deviennent, d'une certaine manière, sacrés. Roger rêve pourtant d'eux, bien souvent ; mais il sent qu'il commet alors un sacrilège — et aussi que ce sacrilège lui est pardonné d'avance. Le visage contre cette poitrine nue de femme et pleurant doucement : c'est ainsi qu'il se représente le bonheur absolu. Le fantôme de sa mère n'est pas loin ; elle est morte tandis qu'elle le nourrissait encore — mais Roger n'a jamais entendu parler de la psychanalyse. Le petit Œdipe continue donc son chemin en traînant les pieds. La fille a tourné dans une rue vers la gauche ; elle ne pense sûrement pas à ses seins et ne saurait même pas les dessiner ! Elle ne se doute pas que leur profil (pas celui qu'elle souhaite montrer mais le véritable) est gravé avec une précision de frise égyptienne dans le regard absent d'un garçon que ses mains démangent. Ce soir, d'un trait qui ne tremble pas, Roger les dessinera à la suite des vingt-deux autres qui forment sa collection. Il ne la montre à aucun type (« Ces cons-là ne pensent qu'aux fesses ! »), mais le pion à lunettes l'a trouvée, un matin qu'il avait oublié de la cacher entre les matelas pisseux et le drap hirsute. « Mon pauvre petit ! » a murmuré Puceau, mais il est devenu tout rouge, plus rouge que Roger.

*— Attention, on traverse ! Raymond, ne vous laissez pas couper !*

De ce côté-là, aucun danger : Raymond ne laissera sûrement pas ces crétins d'automobilistes traverser les rangs. Il les déteste : aucun d'eux ne mérite sa chance et ce privilège de posséder une voiture bien à soi. Raymond les adore toutes ! Il dit négligemment « les bagnoles » pour donner le change. D'ailleurs, il parle très peu d'elles, de crainte que sa passion vienne à être partagée par tous ces pauvres mecs qui ne rêvent que de motos.

En ce moment, il traîne en traversant la rue pour la joie de les passer en revue, ces cuirassés, ces palefrois, ces destroyers… Oh ! la calandre super-chromée de celle-ci, les triples phares de celle-là — et écoute-moi le ronronnement de ce moulin ! Raymond suppute les cylindrées ; il se représente, à travers le capot, l'usine trapue, et trémulante. Il tend ses mains vers elle comme vers l'âtre pour partager la bonne chaleur, et il arque ses narines dans l'espoir d'en capter l'odeur brûlante. Dimanche dernier, sortie libre, il a erré de parking en parking et terminé l'après-midi dans un garage. « Je peux vous regarder travailler ? — Si tu veux, mon gars, mais ce n'est pas bien intéressant ! » Allons bon, lui aussi a donc perdu l'état de grâce ! Il est en train de reconstituer un moteur, pièce à pièce : il est Dieu le père et il trouve que ce n'est pas bien intéressant !

Un jour, Raymond possédera un grand garage avec deux, trois rampes en colimaçon. Grand berger, il régnera sur sept étages, de voitures de toutes marques et de toutes puissances. Mieux ! il se fera marchand de voitures : ainsi seront-elles toujours neuves. Oh ! l'odeur des voitures neuves, lorsqu'on ouvre les portières... Et ce moteur aussi propre qu'une machine de laboratoire... Mais quel déchirement chaque fois qu'il en vendra une ! Tous comptes faits, il sera pilote d'essai, pilote de course : casqué, masqué, mi-chevalier, mi-scaphandrier, ne faisant qu'un avec sa monture, misant sa vie sur elle à tout instant, volant à ras de terre dans un vacarme de feu... Il ne songe ni aux concurrents ni au public — mais seulement elle et lui, pour le meilleur et pour le pire — quel vertige ! Son maigre argent de poche s'accumule dans un coin secret de l'armoire de fer. Un jour, il aura de quoi s'acheter une vieille petite bagnole d'occasion ; il la remettra à neuf en allant, la nuit, prélever le nécessaire dans des cimetières de voitures. Après l'avoir bien *bricolée*, il la revendra beaucoup plus cher : de quoi en acheter une autre, et ainsi de suite jusqu'à celle dont il rêve. Celle qui l'emportera loin du dortoir et des pauvres types à jamais ; celle qui sera sa sœur, sa compagne, sa mère : qui lui tiendra lieu de famille et de maison. Celle qui...

*— Ça suit derrière? crie Barbe-à-papa. Armand, Roger, Raymond, serrons!... Marcel, tu te crois au musée Grévin?*

Statue de sel, personnage de cire, Marcel n'entend même pas la voix du pion. A gauche, là, sur un banc, cette famille dont l'aîné a son âge, sa taille, ses cheveux roux et même, comme lui, une oreille plus écartée que l'autre... Marcel, immobile, se regarde au miroir du bonheur. « Pourquoi lui et pas moi? » Ce jumeau inconnu, il commence par le détester. Leurs regards se croisent — toute l'injustice du monde... Et soudain une envie folle de se jeter à leur cou : « Emmenez-moi! » De connaître leur maison, non ! *sa* maison, *sa* chambre, *son* lit, l'odeur du café au lait demain matin, et le goût du pain qui n'est jamais le même nulle part. Emmenez-moi ! Le regard de Marcel, en ce moment, ressemble à celui que les chiens jettent aux visiteurs, dans les dépôts des bêtes perdues. Lui non plus ne serait pas bien exigeant : sortir avec eux, dormir en travers de leur porte, les aimer, les aimer, les aimer... Lui seul sait de quel amour il serait capable en échange de quelques baisers distraits et d'aucune parole : partager leur silence, le silence d'une famille, rien de plus ! (Sur le banc, personne ne parle ; ils ne savent même pas qu'ils sont heureux.) Emmenez-moi ! — Mais au moins qu'ils me regardent, qu'ils me trouvent à leur ressemblance, que j'existe, le temps d'un regard, pour quelqu'un d'autre que le pion, l'économe, la lingère !

Personne ne le regarde ; le fils bâille ; le père se lève :

— Le fond de l'air devient frais, dit-il. Rentrons, les enfants.

*Serrez à droite! Ce soir, pas de douche et cinéma au réfectoire à 21 heures — faites passer!*

La nouvelle passe : Cinéma... cinéma... « 21 heures, c'est 8 ou 9 heures? »... Les plus petits sourient d'avance ; les grands jouent les blasés : « Quelle connerie vont-ils encore nous passer ? Un truc qui finit bien : gna gna gna... » Seul, Fernand n'émet aucune remarque. Sur son visage fermé, la nouvelle se brise comme le flot sur l'étrave du navire. « 21 heures ? Tu parles ! je serai loin... » C'est sa troisième fugue, mais celle-là réussira. D'abord, parce qu'il n'a mis personne dans le coup. Tous trop bavards, ou trouillards, ou vantards ! Et puis il a choisi un dimanche : le directeur est en famille, Barbe-à-papa baise en ville après le dîner. Puceau s'escrime contre son appareil de projection. Le petit Fernand, ils s'en foutent tous ! Et troisièmement (il ne peut s'empêcher de compter sur ses doigts maigres), c'est aujourd'hui que la fille du portier à tout faire, de l'homme aux gros poings, fait sa communion solennelle. Il faudrait être fou pour ne pas tenter le coup ! Mais tous, ils le sont tous, sauf Fernand, et tous des lavettes ! Ils ont accepté, une fois pour toutes, le dortoir et sa mauvaise haleine, les chiottes en plein air et leurs demi-portes, les couverts en fer-blanc, les promenades en rang : « Regardez-nous passer, nous les pauvres types, et sentez-vous heureux en comparaison... » Tout accepté ! Un bataillon de somnambules — mais Fernand, lui, reste bien éveillé. Le monde est grand ; on s'y passe très bien de parents, et de brevet, et de pécule. Libre ! il n'y a que cela qui compte. Libre dès 20 h 45 (pas d'appel avant le cinéma), libre dès qu'il aura rejoint l'avenue Gambetta : à droite, à droite, puis à gauche. Il a tout prévu ; à mesure qu'on se rapproche de l'orphelinat, il repère à l'envers, une fois encore, son itinéraire. Lorsqu'ils vont franchir la grille, tout à l'heure, le compte à rebours commencera. L'important était de se procurer un peu de fric ; c'est fait. Le temps que l'économe s'en aperçoive... L'important était aussi de trouver un chemin pour sortir sans que personne ne vous remarque, ni dans l'internat ni dans la rue, et c'est fait. Alors, à partir de maintenant, tête de bois, Fernand : que personne ne lise rien sur ton visage !

— Dis donc, à ton avis, ce soir ce sera un western ?

— Je ne sais pas, dit Fernand, mais ce sera drôlement chouette, ce soir...

*— On rentre en silence ! Lavabo et réfectoire : pas de jeux dans la cour. Dépêchons !*

« Pauvres gosses, pense Puceau, le pion qui en septembre entrera au séminaire. Je devrais peut-être demeurer encore avec eux ! Toutes ces âmes qui s'ignorent, tous ces cœurs amers... S'ils connaissaient la Bonne Nouvelle, s'ils savaient qu'ils possèdent tout de même un Père et une Mère dont ils sont les préférés... Martin, Marcel, pauvres pauvres gosses — et tous ceux que j'entends pleurer la nuit... Mais je leur dirai, je leur apprendrai que toute cette douleur a un sens, qu'aucune larme n'est perdue... Pauvres gosses, quelle somme d'amour malgré cette puanteur, cette médiocrité. Je les sauverai, pense Puceau, je les sauverai tous ! »

Il ôte ses lunettes et les essuie longuement, tout embuées.

« Leur malheur, c'est la résignation, la veulerie, pense Barbe-à-papa, le pion gauchiste. Ils devraient nous cracher à la gueule, foutre le feu à la baraque ! " M. le Directeur ", " M. l'Econome " et ce fasciste de portier n'auraient que ce qu'ils méritent. Une société qui traite ainsi ses orphelins, qui les caporalise pour les lâcher dans la vie avec un brevet au rabais et un pécule dérisoire au lieu de les adopter vraiment, que peut-on attendre d'une pareille société ? Pauvres gosses ! peut-être y a-t-il parmi eux un Mozart, un Saint-Just — et les voici condamnés à la puanteur et à la médiocrité... Condamnés à vie ? Non, je ne marche pas. Je vais les prendre en main dès lundi, un par un ; j'en ferai de vrais révolutionnaires. Ils doivent savoir qu'ils ont des millions de frères à travers le monde. Roger, Fernand... Toute cette douleur doit servir à quelque chose : la Société paiera pour chacune de leurs larmes... Je les sauverai, je les sauverai tous ! » pense Barbe-à-papa et les types du premier rang se demandent pourquoi il sourit dans sa barbe.

# L'AUTOMNE À MALENCONTRE

VERS le milieu de l'après-midi, Christophe monta jusqu'à la chambre de ses parents. Il se sentait en faute ; il lui sembla que les marches de l'escalier craquaient plus que jamais. A pas de loup (les loups aussi vivent dans l'inquiétude), il gagna le cabinet de toilette dont l'odeur, lavande et tabac mêlés, personnifiait son père et sa mère aussi sûrement que leurs voix. L'immobilité même des objets lui paraissait suspecte. Le rasoir de son père regarda cette main l'approcher et le saisir, à la fois impatiemment et craintivement. Puis, d'un geste trop vif, Christophe effleura les coins de sa bouche : fit disparaître ces deux ombres de duvet qui l'encadraient et mettaient entre parenthèses un sourire dont sa mère disait quelquefois : « Tu ne souris plus comme avant... » Avant quoi ?

Rangé le rasoir (un peu de biais, tel qu'il l'avait trouvé), Christophe s'observa au miroir. Il n'avait pas seulement perdu le faciès chinois que lui conférait ce duvet, mais aussi je ne sais quoi d'enfantin. Sa mère s'en apercevrait aussitôt, mais ce soir seulement — et d'ici là...

Septembre sonnait le glas des vacances. Elles avaient commencé au son d'un angélus, que la ville oblitérait le reste de l'année, et elles s'achéveraient, dans quelques jours, au timbre du réveille-matin. Les mains des marronniers étaient rongées de rouille comme celles des vieux hommes ; Christophe songea que les arbres

69

de Paris devaient déjà être grillés. En septembre dernier, par une journée plus somptueuse que celle-ci (le soleil couchant embrasait la cabane), il avait dit à Pascale :

— L'année prochaine, le même jour, à la même heure !

C'était à la fois une affirmation et une supplication. L'idée de ne plus la revoir lui avait soudain serré la gorge et mis les larmes aux yeux ; cette pensée serait désormais inséparable de la fumée des feux d'arrière-saison. Cet après-midi, un tas de feuilles se consumait à quelques pas de la cabane ; son nuage bleu obscurcissait lentement le ciel ; l'air en tremblait. Pascale…

Personne ne savait qu'ils se retrouvaient à chaque crépuscule dans cette hutte à mi-chemin des deux maisons de vacances, aussi indiscernable des bois qui l'entouraient qu'un nid de pie parmi des branches mortes. Qui l'avait construite, et quand ? Et qui se souvenait d'elle ? Christophe (douze ans) l'avait annexée à Malencontre ; il en avait renforcé le toit et, avec l'opiniâtreté d'une fourmi, l'avait garnie de sièges boiteux et d'objets inutiles volés dans le grenier aux heures de sieste — mais « inutile » est un mot de grande personne. Quelques garçons du voisinage avaient bien prétendu y installer leur camp d'Indiens : le grand chef Christophe les en avait détournés vers une clairière. Depuis, seuls des chats sauvages lui disputaient, de nuit, son royaume. Un soir, il s'y était trouvé nez à nez (nez crochu à nez rond) avec un grand hibou tout blanc venu là dormir debout. *Caillou, chou, genou* — c'était une bête qui figurait dans la grammaire : une bête vaguement ennemie. Lequel des deux avait été le plus effrayé ?

Mais le face à face le plus inattendu, un après-midi d'août dernier le lui réservait : une jeune fille, une jeune fille dans sa cabane ! Elle l'avait regardé en souriant ; elle avait murmuré :

— J'étais sûre que c'était un petit garçon.

Christophe ne supportait pas que les grandes personnes l'appellent ainsi, mais elle-même ne correspon-

70

dait pas du tout à sa définition des grandes personnes. Personnage à mi-chemin, comme la cabane l'était de leurs deux maisons ; personnage comme il s'en trouvait dans les histoires que Christophe s'inventait depuis qu'on ne lui en racontait plus. Ils avaient inventorié la hutte et ses trésors. Et, brusquement :

— Moi, c'est Christophe. Et vous ?

— Pascale.

Il savait d'avance qu'elle dirait un prénom que personne d'autre ne portait, à sa connaissance ; et aussi qu'ils n'échangeraient pas leurs noms de famille. Tout au plus celui des maisons d'été : Malencontre... Le Breuil... Pascale souriait peu, mais ses yeux ne cessaient pas de sourire. Christophe ne s'en était avisé que la nuit suivante, dans son lit ; comme de la couleur de ses yeux, de ses cheveux, de sa robe.

— Vous reviendrez demain ?

— ... Oui.

Elle avait hésité imperceptiblement. Si elle avait dit non, aurait-il éclaté de rire ou pleuré ? Si elle avait dit non, elle aurait rejoint, d'un bond, le camp des grandes personnes. « Vous reviendrez demain... »

Le lendemain et chaque jour. Elle avait apporté un herbier, et Christophe « sa » collection de timbres (celle de son grand-père). Ils avaient échangé leurs histoires d'animaux, les vraies et les autres. Goûté cérémonieusement le vin du Breuil, le chasselas de Malencontre et comparé le goût des noix dont chacun se montrait si fier. Longuement écouté les oiseaux en essayant de les identifier ; depuis, certains se nommaient « l'oiseau de Pascale », « celui de six heures et demie », « celui du sycomore ». Ils avaient ensemble pourchassé, puis ramené, une chèvre perdue, enterré un écureuil, renouvelé les colchiques dans le vase ébréché. Cherché des champignons, et Christophe en trouvait davantage : « Ce n'est pas étonnant : vous êtes plus près du sol ! » Oui, on le savait, qu'il n'était qu'un petit garçon — mais n'était-ce pas une réflexion de petite fille ? Et puis, le dernier après-midi :

— L'année prochaine, le même jour, à la même heure !

Christophe quitta le cabinet de toilette de ses parents. En retournant dans sa chambre, il fut saisi par l'odeur de tanière. La maison tout entière changeait d'haleine à l'arrière-saison. Les eaux invisibles dont elle s'était gorgée durant tant d'automnes reprenaient possession de leurs murs. Malencontre trahissait ses occupants de passage et se préparait déjà au grand sommeil d'hiver, à ce désert sonore et frais où les meubles craqueraient comme des vieux os, où tout *se laisserait aller.*

C'était le reproche de Grand-mère à Christophe : « Tu te laisses aller. » Quand il s'affalait dans les fauteuils, qu'il ne refermait ni les portes ni la lumière derrière lui : « Tu te laisses aller ! Regarde, tu n'as même pas écarté les volets. Comment peux-tu respirer dans cette chambre ? »

« Grand-mère a raison », se dit Christophe en ouvrant la croisée puis les persiennes : mais l'odeur de laisser-aller demeurait. Il renifla, chien inquiet, cette senteur si familière ; puis il appliqua ses mains (la gauche, la droite, le dos bronzé, la paume rose) contre ses narines. Ses vêtements, à présent ! « Et si je sentais mauvais, moi aussi, comme la chambre… » Il ravagea sa commode à la recherche d'un autre pantalon de velours, d'un chandail neuf, aspergea celui-ci de lavande. « J'en ai trop mis ; cela m'endimanche, c'est ridicule ! » Et il l'éventa avec une sorte de fureur. Rhabillé, il courut se mirer dans la grande glace du vestibule. Cet après-midi, il se voyait avec d'autres yeux ; des yeux en amande, aux paupières à demi clignées à la manière des myopes, des yeux dont il ne parvenait pas à retrouver la nuance exacte. Pascale… Il dit tout haut :

— Pascale…

C'était provoquer Malencontre et Malencontre l'entendit : l'horloge de la salle à manger annonça 3 heures, avec cette manière à elle de se racler la gorge avant de

72

sonner. Christophe sursauta ; l'heure lui faisait penser à la date. « Le 10 septembre... Est-ce que nous sommes bien le 10 septembre, au moins ? » Depuis deux mois, il vivait hors du temps, ce qui est la définition des vacances : chaque jour dimanche, ou plutôt jeudi. « Et si c'était hier le 10 septembre ? Si elle était venue hier à la cabane ?... » Ses mains devinrent moites en un instant. Il courut à la cuisine. La *Nouvelle République* était posée sur la toile cirée avec le maigre courrier de campagne, à côté du verre (un liseré rouge au fond) que le facteur avalait d'un trait et dont une partie se perdait dans ses moustaches. Sans jeter un coup d'œil aux gros titres, Christophe vérifia seulement la date sur la manchette du journal : Jeudi 10 septembre.

Ouf ! Dans une heure, à la cabane...

C'est en chemin qu'il s'avisa n'y être venu lui-même qu'une seule fois de tout l'été. A quoi avaient donc passé les journées, cette année ? Lire des policiers sur un lit jamais fait (« Tu te laisses aller »)... Détacher la barque et s'allonger dans le fond sans prendre la peine de monter les cannes à pêche qu'il emportait comme alibi... Ou encore à plat ventre dans l'herbe haute et, cette fois, c'était le temps qui dérivait lentement autour de lui... Des vacances sans cabane, sans grands jeux avec les petits voisins (« Quels crétins, ces types ! »). Un été passé à lire des histoires au lieu de s'en raconter. Seul point de ressemblance avec les dernières vacances, le refus obtus, obstiné, de rendre visite aux amis de ses parents qui demeuraient dans les environs et dont les enfants « doivent avoir à peu près ton âge ». Quand il en arrivait à Malencontre, avec, sur leur face, le sourire idiot des gens polis, Christophe courait se cacher dans les bois.

Un arbre jeta de haut une poignée de marrons sous ses pieds ; il lui rappelait rudement le chemin de la cabane. De la cabane... « Et si elle n'existait plus ? » Cette pensée l'immobilisa, l'œil rond, à la manière des animaux sauvages avant qu'ils ne détalent. Oui, si l'orage ou ces petits crétins l'avaient détruite ? Ou encore s'ils l'avaient élue comme quartier général : s'il allait la trouver grouillante de gosses excités ? Les en déloger serait facile, mais ils y reviendraient en éclaireurs, à pas de Sioux, espionner son entrevue avec Pascale...

— Pascale !

Il avait, lui-même, observé les alentours avec méfiance avant de redire tout haut ce prénom. Depuis hier, il vivait dans la crainte que ses pensées ne puissent se lire sur son visage.

— Pascale !

Un oiseau lui répondit ; cela le rassura : il préférait avoir partie liée avec la nature qu'avec les humains.

La cabane était vide ; elle sentait la mousse, éponge d'automne, et pas de garçons. Elle lui parut dérisoire : beaucoup plus petite que sa mémoire ne le lui rappelait, encombrée d'épaves et comme émergée, mi-cave, mi-grenier, d'un naufrage ancien. Comment avait-il pu, les autres étés, y passer tant d'heures, y jouer tant de personnages ? Il en retrouvait, ici et là, les attributs en chemin de rouille ou de pourriture. Pas d'autres traces ! Les petits voisins ne s'étaient pas aventurés ici sans lui. Peut-être ne s'étaient-ils pas donné d'autre chef ; Chritophe en ressentit un peu de vanité.

Il repoussa les volets branlants (l'un deux se démantela) : l'automne entra — l'automne et non le jour — par cette baie vermoulue. Chevalier de daim et de velours, Athos au regard veuf, aux tempes grises, l'automne envahit la cabane avec son odeur de feuilles confites, de terre saturée et le relent bleu d'un feu d'herbes mortes quelque part, l'automne ourlé de fraîcheur, souverain déchu, en loques. Christophe frissonna. Il lui sembla que le jour venait de tomber et que le soleil qui se lèverait demain serait celui de la ville ; il lui sembla que Pascale non plus ne serait pas au rendez-vous.

— Bonjour, dit Pascale.

Elle était entrée aussi silencieusement que l'automne

et chassait celui-ci d'un mot. Le même mot, la même intonation que l'an passé ; et, l'espace d'un instant, Christophe se retrouva le garçon de l'autre été, mains moites et cœur battant.

Lorsqu'elle avait pénétré, par hasard, dans cette hutte qu'elle croyait abandonnée, il avait balbutié : « Mademoiselle » ; cette fois, il dit : « Pascale ! » Cette familiarité la toucha mais la mit imperceptiblement sur ses gardes. Elle-même n'était pas assurée de le trouver au rendez-vous : « Tant de choses, en un an, traversent l'esprit d'un petit garçon ! » Elle avait quelquefois pensé à lui, durant cette année, mais elle ne lui avouerait jamais à quels moments — et se l'avouait-elle à elle-même ? Dans l'aube confuse de ces surprises-parties dont la fin est sans surprise ; quand elle assistait à quelque scène de film dont on rougit dans le noir ; quand elle lisait un chapitre où l'auteur prête à ses personnages ses propres obsessions : chaque fois qu'elle avait besoin de reprendre pied en terre de pureté, elle pensait à la cabane et au garçon.

Elle se mit à sourire, comme l'an passé ; mais ce sourire (qu'il avait tant cherché dans sa mémoire et si vainement) mit Christophe mal à l'aise. Il attestait une sorte de domination qui ne lui convenait plus. Il dit très vite :

— Nous ne nous sommes pas serré la main.

— Quelle drôle d'idée !

Il s'empara presque de cette main. Il avait oublié que, depuis quelques mois, les siennes étaient souvent moites. Il en ressentit de la honte ; c'est à Pascale qu'il en voulut et il prit aussitôt sa revanche, la plus maladroite :

— Je pensais que vous alliez oublier...

Elle se garda bien de répondre qu'elle l'avait craint également

— Oubliez ce rendez-vous idiot, acheva-t-il.

— Pourquoi « idiot » ?

Le sourire avait disparu ; du moins, le croyait-elle.

— Je veux dire : c'était vraiment une idée de gosse.

— Et alors ?

Il ne sut que répondre. Il s'avisa que, l'an passé, il ne s'était pas une seule fois demandé quoi dire ou quoi répondre. L'état de grâce... L'expression de sa mère lui revint : « Tu ne souris plus comme avant ! »

— Vous pensez que j'ai changé ?

Elle fronça un sourcil, l'examina de bas en haut, comme un enfant endimanché.

— Grandi ? Sûrement.

— Grandi, bien sûr ! C'est la première chose qu'ils me disent tous... Mais changé ?

Ce « ils » la rassura : il ne se rangeait donc pas encore dans le clan des grands.

— Je ne crois pas.

Elle avait failli dire : « J'espère que non ».

— Vous vous rappelez mon nom

— Euh... Christophe.

Il tomba dans le piège de cette hésitation.

— Vous n'avez donc jamais pensé à moi ?

— Mais c'est une scène ! Mais il me fait une scène !

— Non, non ! s'écria-t-il ravi, mais moi, j'ai beaucoup pensé à vous.

Ce n'était pas vrai, il avait dû entendre cette phrase dans quelque mauvais film. Elle avait retrouvé son sourire, quoique un peu incertain.

— Et quand cela ? Où cela ?

— Comment ?

— Quand pensiez-vous à moi ? Quand vous reveniez ici en week-end ? Ou bien... ou bien en classe ?

Il était perdu, il ne connaissait pas son rôle ; il répondit au hasard :

— Un peu tout le temps.

— Vous jouez mal, Christophe.

La gêne s'installa entre eux.

— Voyons ! dit-elle après un instant (par pitié, pour rompre le silence ; pourtant, elle jouait mal, à son tour), voyons un peu ce qui a changé ici...

Elle commença l'inventaire ; mais on aurait dit que le sortilège de l'été dernier s'exerçait à l'envers. Chaque objet paraissait non pas chargé d'ans mais dégradé, non pas gratuit mais inutile. Christophe suivait en maugréant ; il se sentait furieux contre lui-même : il décida de rétablir le charme.

— Sortons d'ici, allons nous promener ?

— Non, dit Pascale avec une fermeté surprenante. Restons ici, c'est votre royaume.

— Cette cabane ? C'est une histoire de gosse !

— Et alors ? murmura-t-elle de nouveau.

— Je n'y ai pas remis les pieds de tout l'été !

— Ah !

Il vit distinctement se figer le sourire de Pascale ; cela lui faisait un visage de femme.

— Pascale, je ne vous ai jamais demandé votre âge.

— Ni moi le vôtre. Heureusement !

— Pourquoi ? Vous n'avez pas envie que nous nous connaissions mieux ?

— Moi, je vous connais mieux, dit-elle.

Il en fut charmé, l'imbécile.

— Alors, reprit-elle laborieusement, qu'est-ce que vous avez fait, cet été ?

— J'ai... j'ai surtout bouquiné. (« Pourvu qu'elle ne me demande pas ce que j'ai lu ! »)

— Des bandes dessinées ?

— Pensez-vous ! C'est fini tout ça ! (Ce n'était pas vrai.)

— « Tout ça » ?

— Sortons ! décida-t-il brusquement.

Il lui semblait confusément que cette cabane était le symbole de *tout ça* et qu'elle s'interposait entre Pascale et lui.

— Encore ? Sûrement pas ! C'est ici que nous avons rendez-vous, pas ailleurs.

— Mais, l'année dernière...

— Je me demande si les oiseaux, les champignons, les écureuils vous intéressent autant que l'année dernière. Je me demande si *tout ça* n'est pas fini pour vous.

— Pas pour vous ?

— Moi, je n'ai pas changé, dit doucement Pascale.

Elle savait que c'était faux : si elle avait tant désiré cette rencontre, c'était parce qu'elle n'était plus tout à fait la même et le regrettait désespérément. Elle avait faim et soif de *tout ça*. Etait-ce devenu une nature morte, rien de plus ?

Presque malgré elle, sans raison, elle cria « Christophe ! » d'une voix forte et un peu angoissée, comme on appelle un petit garçon perdu dans les bois. Il leva la tête, vit ce visage de femme tendu vers lui et qui ressemblait à celui de sa mère. De sa mère ! Cela lui fit plaisir et peur, tout ensemble. Sa mère, mais il l'appelait Pascale ; sa mère, mais il pouvait regarder ses bras nus, ses hanches, sa poitrine. Il éprouva soudain la sensation d'être double, d'assister à ses propres gestes. « C'est cela, être grand », pensa-t-il. Une immense fierté : il se sentait puissant, libre surtout. Il y avait, dans le regard de la jeune fille, un appel auquel il se trompa.

— Pascale, je...

Christophe-l'enfant vit l'autre, le grand, s'approcher d'elle presque brutalement, lui saisir les mains, approcher son visage du sien, sa bouche de la sienne. La jeune fille se leva si vivement qu'il tomba par terre, d'une façon ridicule. Les somnambules tombent aussi, quelquefois, losqu'on les réveille.

— Pascale !

Il ne la voyait plus, n'entendait que ses pas rapides et le froissement des feuilles mortes. « Courir après elle ! songea Christophe. Non ! je serais ridicule... »

— Pascale !

Il devait y avoir une douleur toute neuve dans ce cri, car les pas s'arrêtèrent un instant. « J'ai tout gâché », se dit Christophe et son cœur battait dans sa gorge. Mais c'était une pensée insupportable, et déjà il cherchait comment rejeter tous les sorts sur l'autre.

— Pascale, voyons ! appela-t-il d'une voix différente, et il l'entendit qui repartait en courant.

Il tendit l'oreille ; il écoutait ces pas comme un médecin les battements d'un cœur à l'agonie : si lointains, si faibles, puis plus rien.

Alors il se rua, pieds et poings, contre les parois de la cabane qu'il entreprit de démanteler. La porte, la fenêtre fantôme, le toit crevé, tout s'effondrait sans même craquer, comme le fait un arbre mort quand il est pourri jusqu'au cœur. Christophe se mit à piétiner ces vestiges, puis à jeter au plus loin, dans toutes les directions, les objets un à un volés dans le grenier, transportés en secret, retrouvés chaque été avec bonheur. On les voyait luire étonnés parmi les feuilles rousses. Le paysage immobile paraissait consterné ; seule une fumée bleue s'élevait du feu d'herbes avec une sorte d'indifférence.

Christophe ne s'arrêta que le saccage achevé. De nouveau, il se sentait double — et l'autre était un personnage ridicule qui transpirait, qui soufflait très fort.

Lorsqu'il sentit tomber une larme sur ses mains qui tremblaient encore, il s'aperçut qu'il pleurait.

— Quelle saloperie, ce feu de feuilles mortes ! dit-il tout haut.

# ET LE FRUIT DE VOS ENTRAILLES
## EST MAUDIT

— Allons, dit le médecin, il n'y a plus qu'à dormir maintenant.

Elle continuait de geindre ; il reprit à voix basse :

— Dormir, ma petite fille, dormir...

Elle ouvrit les yeux, et le regarda d'un air suppliant.

— Mais non, mais non ! fit-il au hasard. (Pourtant, ce devait être la bonne réponse puisque le visage s'apaisa.) Rien de grave, ma petite fille...

Il y avait des années que personne ne l'avait appelée ainsi ; elle en avait assez d'être « la petite sœur » de tout le monde. Elle se mit à pleurer, mais de douceur, plus d'angoisse. Le médecin s'y trompa. « Allons, allons... » L'une de ses filles avait le même âge que sœur Emmanuel. Il eut honte, brusquement : honte d'être un homme, du camp de ceux dont elle pleurait. « Dormir ».

Derrière le rideau de bambou, il retrouva la moiteur, les escadrilles d'insectes. Des gosses au gros ventre tournaient autour de sa *jeep*. Il songea à un jardin, en Europe, vers la mi-juin, à 6 heures du soir.

Quelques pas sous la véranda étouffante et il poussa la porte de la Mère supérieure. Il retrouva, dans ce bureau, avec cette senteur acide que la propreté des nonnes installe jusqu'au bout du monde, l'air conditionné, son odeur fade, froide plutôt que fraîche. (Un jardin en juin, au seuil du crépuscule...)

— Alors, docteur ?

— Elle est abîmée, déchirée, bien sûr, mais pas profondément. Dans un mois ou deux, avec du repos... Mais le moral me semble atteint, gravement.

— Sœur Emmanuel est très forte.

— Très tendre aussi.

Il pensait à sa fille. « Tendre » ; il perçut clairement, sur le visage de la Supérieure, que ce terme était malheureux. Et tout aussi brusquement — mauvaise matinée ! — il se révolta contre la dureté monastique, cette contrainte incessante. Cette citadelle de bouches closes et de paupières baissées... Sœur Emmanuel avait-elle jamais répondu : « Non, ma Mère » ?

— C'est le médecin qui parle, ma Mère, reprit-il sans amitié. Sœur Emmanuel est sans doute plus vulnérable qu'elle ne le laisse paraître.

— Cela s'appelle la dignité, fit la religieuse en pinçant les lèvres (ce qui la faisait ressembler au masque mortuaire d'Angélique Arnaud). A votre avis, dois-je la renvoyer en Europe ?

— Quand un cavalier tombe, s'il ne se remet pas en selle aussitôt, il risque de ne plus jamais remonter à cheval !

— Elle quitterait l'Ordre ?

— Si elle quitte l'Afrique sous le coup de ce choc, elle risque de ne plus y revenir. Or, c'est ce pays qu'elle a choisi dès le début.

— Lorsque Dieu appelle l'une d'entre nous...

— Sa vocation et l'Afrique, c'est tout un, croyez-moi ! (Ah ! non, pas de sermons ce matin !) Il faut qu'elle reste ici : moralement parlant, elle est « intransportable »...

— Nous aviserons, dit la Mère.

Si impérieux que fût le ton, le médecin sentit que la décision était prise : Sœur Emmanuel resterait.

— Je voulais aussi vous demander, docteur... Ah ! c'est bien difficile à formuler... Est-ce que ?...

— Est-ce que ce viol comportera des suites, à terme ? dit-il rudement. Comment voulez-vous que je le sache ?

Quelques semaines plus tard, Sœur Emmanuel éprouva des nausées. Elle se cachait pour vomir ; pour pleurer aussi. Etranges larmes auxquelles se mêlait une sorte de jubilation : quoi ! tant de peur et de honte n'avait donc pas été gratuit ! Son corps ne la faisait plus souffrir, mais il lui devenait étranger. Elle le réintégrait avec anxiété, pareille à un homme qui rentre chez lui, mais il lui semble que quelqu'un est caché dans la maison et son cœur se met à battre. Ce cœur, en elle, qui se mettait à battre beaucoup plus fort demeurait son seul allié dans la place ; tout le reste conspirait contre elle. Avec la lenteur de la mer, ce ventre mystérieux poursuivait sa besogne.

Le viol (ce Noir immense et nu se jetant sur elle, la dépouillant comme un fruit, l'ouvrant comme avec un couteau), le viol n'avait été qu'un incident : c'était à présent que sa virginité était profondément déchirée, que la vie poussait en elle, aveuglément, comme un arbuste qui devient un arbre au cœur d'un bâtiment abandonné. Habitée ! elle se sentait habitée et cela lui paraissait tantôt monstrueux tantôt inespéré. Cette solitude désenchantée à laquelle elle ne portait remède, les jours de grâce, qu'en demeurant assise devant le Saint-Sacrement jusqu'à ce que l'eau remonte lentement dans l'écluse, cette solitude (qui la faisait parfois douter de sa vocation) lui paraissait enfin conjurée. « C'est le moment de faire confiance », se répétait-elle. Jusqu'à présent, c'était à la Règle qu'elle se confiait ; aujourd'hui, comme aux premiers temps, c'était à Dieu — enfin ! Ce fameux *abandon,* qui revenait sans cesse dans leurs homélies, voici qu'il changeait de visage : la Sainte Face, et non plus la figure de la Mère supérieure, plate comme une porte fermée.

Lorsque celle-ci la découvrit, pâle et crispée, en train de vomir derrière l'infirmerie, elle comprit aussitôt.

— Sœur Emmanuel, regardez-moi ! Est-ce que ?...

— Oui, ma Mère.

— Et il y a longtemps que vous vous en êtes aperçue ?

— Quelques semaines.

— Pourquoi ne m'avez-vous rien dit ?

« Parce que vous n'êtes pas ma mère. » Elle ne le dit pas, bien sûr ; mais, sans un mot, fixa l'autre d'un regard qui démentait absolument ces paroles qu'elle prononça enfin :

— Je vous en demande pardon, ma Mère.

Dès cet instant, elle sut qu'elle n'avait plus de comptes à lui rendre, ni au médecin ni à personne — à personne sur la terre. La Supérieure baissa les yeux pour échapper à ceux-ci qui voyaient clair en elle. Le combat était commencé.

— Je crois que, de toute manière, cette discussion devrait avoir lieu en sa présence, dit le médecin.

— Sûrement pas. Sœur Emmanuel n'est qu'un instrument, la pauvre ! Sa volonté n'a pas plus à intervenir aujourd'hui que... qu'à l'origine.

— Je ne puis vous suivre, Ma Mère. (« Quel âge peut-elle donc avoir ? » se demanda le médecin ; il ne s'était jamais posé la question.)

— Ce qui prime à mes yeux, c'est le bien de la Communauté dont j'ai la charge. Désordre parmi mes sœurs, scandale parmi la population — ne m'en demandez pas trop, docteur !

— C'est vous qui m'en demandez beaucoup, ma Mère. Supprimer une vie, au mépris de la loi de notre pays et de celle de l'Eglise — sans parler de ma conscience, ajouta-t-il à mi-voix.

— Ce n'est pas encore « une vie » : l'âme seule...

— Vous êtes donc dans les secrets de Dieu, ma Mère ?

— Dans certains pays, l'interruption de la grossesse est de droit quand celle-ci a pour origine le viol ou l'inceste.

— Pas chez nous. L'avortement thérapeutique (que, d'ailleurs, Rome n'accepte pas) n'est licite que si la vie de la mère est en danger.

— Elle l'est.

— Pas du tout. Sœur Emmanuel porte très bien son

83

enfant. Il y a deux ans que nous n'avons pas eu un seul accident en maternité : pourquoi voulez-vous que... ? (Paupières closes, lèvres serrées.) Enfin, me faites-vous confiance, oui ou non ?

— Il n'y a pas que la santé physique. Je vous dis que Sœur Emmanuel est en danger et, de ce danger-là, vous ne la sauverez pas.

— Ecoutez, ma Mère, il existe un moyen de nous départager : demandons l'arbitrage de Mère Marie-Bernadette. (C'était la Supérieure régionale, à Bamakah : une vieille femme criblée de maux qui chantonnait quand elle se croyait seule.)

— C'est bien inutile, fit la religieuse avec une sorte de dépit. Vous mettrez au monde cet enfant, docteur. Simplement, nous le confierons aussitôt à l'orphelinat de Bédaho.

— Non, dit fermement le médecin, pas aussitôt.

Il venait d'imaginer le regard de sœur Emmanuel sur un petit enfant à demi noir ; d'imaginer une religieuse allaitant un nourrisson. Dans son pays, beaucoup de peintres ont représenté ainsi Marie et son petit garçon.

La cloche acide n'a pas besoin de tinter : sœur Emmanuel sait que c'est l'heure. Elle pose la pince, l'ouate, le flacon, sourit une dernière fois à ce vieillard impassible, à cette matrone débordante ; elle confie à la soignante les pansements éblouissants et va se laver les mains interminablement, comme font les chirurgiens. L'eau emporte une matinée de plaies et de pus, de pastilles déposées au creux d'une main noire et sèche, de flacons de toutes les couleurs : « Tu te frottes avec. Surtout, tu ne le bois pas ! » Elle regarde ces mains qui viennent de naître et sourit (encore). Sur le chemin brûlant de la maternité, elle a bien du mal à ne presser ni allonger le pas (c'est la première chose qu'on lui a apprise au noviciat). Parmi douze cris fragiles et obstinés, elle reconnaît de loin *le sien* et, après un coup d'œil hypocrite derrière elle (« Ne jamais se retourner, mes petites sœurs »), elle franchit les derniers mètres en courant.

« Mon tout-petit... mon fruit... mon satin... ma petite châtaigne... » Sœur Emmanuel a entonné à voix basse les litanies de l'amour maternel. Un témoin verrait là seulement une religieuse en train d'élever dans ses bras un nouveau-né plus clair et un peu moins crépu que les onze autres. La Supérieure épierait d'un œil aigu un geste « non professionnel ». Dieu seul y voit l'amour fou, la conjonction sans reproche des deux plus grandes passions humaines. Car sœur Emmanuel ne trahit pas le Dieu à qui elle a voué son existence en aimant de tout son cœur, de tout son corps, ce petit être chaud, soyeux, exigeant, dont le regard ne cherche qu'elle, dont le sourire est un secret partagé.

« C'est comme cela qu'il faut aimer le monde », pense-t-elle, tandis que, pudiquement caché sous un linge, le petit animal vorace se repaît d'elle, donner de sa chaleur, de sa substance même... « Il faut qu'il croisse et que je diminue... » A sa joie viscérale s'ajoute, malgré elle, le plaisir de songer que la Mère supérieure ne comprendrait rien à cette pensée, la jugerait peut-être sacrilège, alors que ce sont les instants de la journée où sœur Emmanuel se sent vivre à ciel ouvert. Au noviciat, on les faisait se lever au petit matin ; transies, elles gagnaient la chapelle où veillait le Saint-Sacrement. Alors, une chaleur paisible envahissait la postulante ; si frêle, l'instant d'avant, voici qu'elle se sentait indomptable. « Le martyre, ce ne doit pas être si difficile, après tout... » Pourquoi songe-t-elle à ces instants tandis qu'elle contemple le petit enfant qui lui sourit de confiance, sans prendre la peine d'ouvrir entièrement ses yeux ? Plus loin, ivre de bonheur, plus loin encore, elle revit les Noëls de son enfance : ce chœur d'haleines dans l'église froide, l'orgue qui la faisait frissonner et la constellation tremblante des cierges à travers ses larmes. Comme elle aurait déjà donné sa vie pour ce petit enfant, ce petit enfant si blanc !

Une sonnerie indifférente appelle sœur Emmanuel à d'autre tâches : celles auxquelles elle a d'avance et à jamais donné sa vie. « Mon tout-petit... mon brugnon... ma soie... » Elle reprend ses litanies en recouchant cet enfant, son enfant — « mon enfant ! »

Elle aperçut de loin la lampe qui veillait derrière le grillage, dans le bureau de la Supérieure et freina brutalement. La *jeep* aimait rouler de nuit ; parmi les cris rauques de la forêt (et chacun d'eux était une agonie), son ronronnement égal apportait une paix puissante. Sœur Emmanuel eut la tentation de faire demi-tour, de retourner auprès des Pères de Bédaho, ou encore de se réfugier chez Mère Bernadette, ou chez le médecin. Un instant, cette tentation — puis elle remit la voiture en marche, pénétra dans l'enclos de la Communauté et remisa la *jeep*. La Supérieure s'était levée en entendant le bruit du moteur. « Merci, mon Dieu... » Quarante ans de Règle, de règne sur ces Noirs si dociles, et puis une semaine de viol, de pillage : d'enfer. Depuis *les événements* de l'an dernier, toute absence, tout écart l'effrayait. Dès que la nuit tombait, elle tendait l'oreille : un cri, une lueur la sortait de son sommeil, le front moite et le cœur battant. Mais, ce soir, elle ne s'était pas couchée : de sœur Emmanuel elle se sentait doublement responsable. Elle la vit qui s'avançait, si blanche, dans le cirque livide de la lune ; elle la vit s'arrêter, tracer sur elle un grand signe de croix, puis repartir, la tête haute.

— Entrez.

Sœur Emmanuel s'agenouilla.

— Je vous demande pardon, ma Mère.

— Relevez-vous, sœur Emmanuel. D'où venez-vous ?

— Vous le savez.

— D'où venez-vous ? répéta la Mère d'un ton dur, car tout interrogatoire est un rituel.

— De l'orphelinat. Vincent est malade. Vous me l'aviez caché, ma Mère, mais je l'ai su.

— Une petite angine de rien du tout !

— C'est ainsi que commence la poliomyélite, quelquefois.

Elles se regardèrent en silence ; chacune pensait que l'autre avait raison.

— De toute façon, il y a un médecin chez les Pères... Et si l'état du petit avait présenté la moindre gravité, vous pensez bien...

— « Que je vous aurais prévenue ! » Pourtant, la Supérieure n'acheva pas : elle venait de songer qu'elle n'aurait peut-être pas alerté à temps sœur Emmanuel. Celle-ci le lut dans ses yeux et une sorte de panique s'empara d'elle. « Il faut que je ramène Vincent, ou que je le rejoigne. Elle le déteste... »

— Nous en reparlerons demain, fit la Supérieure. (Elle ne parvenait pas à retrouver son assurance.)

— Non, ma Mère, ce soir !

Elle ne savait pas du tout ce qu'elle allait dire ; mais seulement que chaque mot comptait. Elle se sentait libre, c'était un sentiment tout neuf.

— Vincent n'est pas un orphelin, commença-t-elle d'une voix altérée, il est mon enfant. (La Supérieure tressaillit.) Mon enfant, répéta sœur Emmanuel : j'en suis responsable.

— Vous n'êtes responsable de rien, ma pauvre petite Sœur : les événements cruels dont...

— Je n'ai pas dit « coupable », mais « responsable ». Les événements... (Elle hésita, puis s'obligea à regarder l'autre bien en face.) Ces événements sont permis. « Tout ce qui arrive est adorable » — on m'a appris cela au noviciat.

— Sœur Emmanuel !

— Tout est grâce. Ce n'est pas moi qui l'ai dit, mais sainte Thérèse. Cet enfant est vivant, et c'est moi qui lui ai donné la vie, sans trahir mes vœux ; mon devoir est de l'aimer. Mon devoir et ma joie, ajouta-t-elle en baissant la voix.

— Votre devoir est d'aimer tout le monde, tous vos malades.

— Je les aime mieux, depuis Vincent.

— Vous les avez délaissés aujourd'hui à cause de lui.

— Il était l'un d'eux : le plus proche et pourtant le plus éloigné, sur votre ordre.

— J'ai agi en conscience, dit vivement la Supérieure.

Elle regretta aussitôt cette parole qui la mettait en posture d'accusée.

— Vous inversez les rôles, reprit-elle : ce n'est pas à moi de me défendre. Pourquoi ne m'avez-vous pas demandé la permission de partir pour Bédaho ?

— Parce que vous me l'auriez refusée. (« C'est vrai », pensa la Supérieure.) Est-ce vrai ?

— Ce n'est pas la question. Comment voulez-vous qu'une communauté subsiste, surtout depuis ce qui s'est passé, si chacune d'entre nous ne respecte pas la Règle, ne remplit pas son rôle.

— La Règle n'a pas prévu mon cas ; et j'ai deux rôles à remplir à présent.

— Le premier est d'obéir, sœur Emmanuel. Et le second, de soigner vos malades dont chacun représente le Seigneur. Ensuite, seulement...

— Vincent aussi représente le Seigneur, dit-elle d'une voix sourde et comme pour elle seule. Il est même plus ressemblant qu'aucun d'eux : il est innocent, il ne possède rien, il est abandonné de tous... Si je ne l'aime pas, qui l'aimera ici ? demanda-t-elle brusquement en relevant la tête.

— Mais...

— Vous ne l'aimez pas.

— Sœur Emmanuel.

— Vous ne m'avez même pas demandé de ses nouvelles, ce soir.


Voici comment se produisit l'accident. Les garçons jouaient en récréation dans le préau qui se trouve derrière leur dortoir. L'un d'eux avait apporté un petit singe à demi apprivoisé ; le père Damien avait eu le tort de le tolérer — mais il est bien facile de faire des reproches après coup ! A un moment, la bête s'échappa et les enfants se mirent à courir pour la rattraper. Ils poussaient des cris de plus en plus aigus (le père recteur les entendit de son bureau) qui auraient dû attirer l'attention de leur surveillant. Le père Damien mit cela sur le compte de l'approche de la saison des pluies qui, comme chaque année, rendait les garçons instables et nerveux. Il se produisit une bousculade à l'angle du réfectoire — mais enfin, des bousculades, il s'en produisait de plus brutales chaque fois qu'ils jouaient au ballon ! Une bousculade et l'un des enfants fut projeté contre le pilier de ciment. Lorsque les autres le virent étendu, inanimé, couvert de sang (et la tache s'agrandissait lentement au soleil), ils se figèrent brusquement. Ce fut leur silence subit qui alerta le père Damien. En les voyant immobiles, il se mit à courir, les écarta... « Vincent ? » (Le petit singe s'était approché, reniflait la blessure puis s'enfuit en poussant un cri aigu.) Le père emporta dans ses bras le petit corps qu'il croyait seulement sans connaissance et qui peut-être était déjà sans vie. Sa robe se couvrait de sang à mesure qu'il courait vers l'infirmière en priant tout haut.

— Appelez le docteur ! cria-t-il en passant devant le bureau du permanent. Vite, le docteur !

Ce fut entre ce médecin-là et celui qui l'avait soignée elle-même huit ans plus tôt que sœur Emmanuel suivit l'enterrement. Qu'il était étroit, le cercueil que quatre Noirs portaient sans peine sur leurs épaules nues. Trois demeuraient impassibles ; l'autre sanglotait. Ils chantaient une mélopée très triste qu'aucun missionnaire ne leur avait apprise et dont il semblait à sœur Emmanuel qu'elle la respirait avec l'air brûlant. Quand le petit cortège arriva dans l'enclos aux croix de bois, la tête du fossoyeur surgit du trou où il paraissait enterré vivant tant il l'avait creusé profond. Il se hissa dehors, courut vers la religieuse qui, à son côté, ressemblait à un petit tas de neige contre un arbre d'hiver.

— J'ai creusé jusqu'au fond, Maman, pour qu'il rejoigne tout de suite maintenant. Qu'il rejoigne, tu comprends ?

Oui, elle comprenait. Elle comprenait tout sauf les paroles, cent fois entendues, qui l'exhortaient à « ne pas pleurer comme ceux qui n'ont pas d'espérance ». D'espérance, sœur Emmanuel n'en portait qu'une seule, mourir, mourir là, maintenant, afin de *rejoindre*, elle aussi. « Mon petit fruit, mon brugnon, ma soie… » Oh ! le petit animal qui lui soutirait sa chaleur, sa substance et qu'elle bordait, à présent, à petites pelletées poussiéreuses, dans ce lit rouge, dans cette terre stérile. Rejoindre…

La Mère Marie-Bernadette était venue de Bamakah malgré son emphysème. La Supérieure l'entraîna à l'écart à l'ombre avare d'un rônier.

— Maintenant, il nous faut renvoyer sœur Emmanuel en Europe. Le médecin s'y était opposé après la naissance de ce pauvre petit ; mais à présent… Vous êtes bien de cet avis ?

— Ma chère Mère, fit l'autre sans la regarder, je suis sûre que vous donneriez votre vie sur-le-champ pour n'importe laquelle de vos sœurs…

— C'est mon devoir !

— « Devoir », répéta la vieille religieuse (son mal avait empiré : il lui fallait reprendre souffle laborieusement, après chaque phrase), « devoir ». Je me demande si ce mot figure une seule fois dans l'évangile. Mais, d'un même cœur, vous condamneriez aussi bien vos sœurs à mort, sans vous en douter !

— Je ne comprends pas.

— Vous ne comprenez pas qu'éloigner sœur Emmanuel de cette terre-ci, désormais, ce serait la tuer ?

— Vous avez de ces mots !

— Vous l'empêchiez de voir son enfant tant qu'il vivait — et je vous comprends ! ajouta-t-elle un peu lâchement afin de s'épargner un couplet sur « le devoir ». Mais, mort, laissez-le-lui !

Dès le lendemain, sœur Emmanuel reprit son tour au dispensaire, offrant à chacun des soins machinaux et un sourire nourri d'absence. Mais le hasard manque de tact : un homme se présenta portant à la tête une blessure qui saignait encore. Sœur Emmanuel appela l'aide-soignante et sortit très vite : elle allait vomir.

Finalement, l'emphysème gagna la partie ; Mère Marie-Bernadette dut quitter son Afrique et retourner dans ce que les autres appelaient son pays natal. Elle y considéra d'un œil tout étranger ces bâtiments de brique rouge, aux canaux veloutés de poussière, ces crépuscules fumeux. Mais les étrangers, du moins, n'ont pas la perspective de finir leurs jours dans les lieux qu'ils traversent. Mère Marie-Bernadette s'aperçut qu'on pouvait mourir deux fois, mourir d'avance.

A Bamakah, elle ne fut pas remplacée : chacune des Supérieures devint maîtresse de sa communauté. Celle que nous connaissons en profita pour mettre de l'ordre dans son royaume. L'*ordre* et le *devoir*... Libre de sa décision et passant outre à l'avis du médecin, elle renvoya sœur Emmanuel en Europe.

— Vous allez rejoindre votre famille, lui expliqua-t-elle sans méchanceté, cela vous fera du bien.

« Rejoindre », « famille » : chaque mot faisait mouche, et sœur Emmanuel se remémora les paroles du grand fossoyeur. Chaque jour, elle se rendait au cimetière torride et demeurait longtemps agenouillée dans le petit flot d'ombre. Elle s'y serait plus volontiers accroupie, à la manière africaine, car elle ne priait pas. Elle récitait les litanies maternelles et regardait vivre un petit garçon imaginaire qui avait à la fois sept ans, l'âge de sa mort, et deux ans, celui où on l'avait séparé d'elle. Elle amenait ici son petit fantôme, comme une jeune mère emmène son enfant dans un jardin public et s'y ennuie un peu tout en sachant que ces heures, qui lui semblent perdues, sont irremplaçables.

Eh bien, désormais, la Supérieure allait l'en priver. Inutile de démontrer à la vieille religieuse qu'aucune décision ne pouvait être plus cruelle, ni lui rappeler que sœur Emmanuel accomplissait ponctuellement toutes ses tâches et que les malades du dispensaire souffriraient aussi de ce départ. L'ordre, le devoir... Sœur Emmanuel s'avisa pour la première fois qu'un même mot, l'Ordre, désignait cette exigence inhumaine et la Communauté qu'elle avait choisie pour la vie.

La Supérieure, qui s'attendait à ce qu'elle nommait d'avance « une révolte contre la sainte obéissance », ne comprenait rien à ce silence, à ce visage impassible. Il lui sembla seulement, bien qu'aucun des traits de la

Sœur n'eût bougé, que celle-ci venait de vieillir de dix ans. Les morts aussi, c'est d'un coup que leur visage se défait.

La seule faveur que mendia sœur Emmanuel fut d'être *rapatriée* par bateau : il lui fallait cette lente migration entre ciel et terre, ce passage silencieux ; la mer est ce qui ressemble le plus à l'éternité. Si son départ revêtait une telle urgence aux yeux de la Supérieure, son arrivée n'en présentait aucune. De plus, le transport par bateau eût été une économie pour l'Ordre ; mais l'autre ordre en décidait autrement. Le port était bien plus éloigné que l'aérodrome et la Mère tenait à embarquer elle-même sœur Emmanuel.

— Non, lui répondit-elle, l'avion sera moins fatigant pour vous.

Cela se fit dès le surlendemain. Le bagage d'une religieuse est vite prêt. La Sœur rapportait en Europe ce qu'elle en avait emporté douze ans auparavant ; seul excédent, quelques photos en couleur d'un petit enfant moins crêpu et plus clair que les autres.

Lorsque l'avion décolla dans un cyclone torride, la Supérieure oublia que les hublots vous dissimulaient les passagers mais ne vous cachaient pas à leurs yeux. Elle montra à sœur Emmanuel une expression de soulagement qui la blessa plus que toute parole. La fosse étroite et profonde n'avait donc pas suffi : visiblement, le scandale — et malheur à celui par qui il arrive ! — ne s'effaçait enfin qu'aujourd'hui avec la disparition de la seconde victime. Du « regrettable incident » de l'autre année, il ne demeurait plus que des témoins dociles et taciturnes. Au fond, c'était comme si rien ne s'était passé — merci, mon Dieu !

A la Maison-mère, sœur Emmanuel se sentit tout à fait orpheline. Ses compagnes, qui étaient « dans le mouvement », avaient déjà troqué l'habit pour des tailleurs gris d'assistante sociale. On lui fit donc, très imprudemment, quitter cette robe blanche qui rassurait de loin, qui guérissait d'avance, et qui l'avait si longtemps protégée des autres et d'elle-même. Elle se retrouva déguisée en n'importe qui, ce qui est un sujet de joie pour les plus saints mais d'angoisse pour les âmes fragiles. Quand ses Supérieures parlaient entre elles du « malheur » qui lui était arrivé, elles pensaient plutôt au viol qu'à la mort du petit Vincent. Par délicatesse, on lui confia le soin des vieillards afin que rien, dans son nouveau ministère, ne risquât de lui rappeler... Tout le lui rappelait, au contraire, et la menait au bord de la révolte : ces chairs flasques et pâles, ces sourires édentés, tant de survivants inutiles... Elle les soignait sans amour, et ces vieux enfants le sentaient bien ; ou encore avec ces attentions excessives que dicte le remords et qui ne font que blesser ceux à qui on les prodigue. De toute manière, quelque sourire qu'elle leur montrât, elle les soignait sans joie, ce qui est la pire insulte envers les pauvres. Elle abrégeait ses visites sous ces combles où les villes relèguent leurs vieillards afin de voler le temps de s'asseoir sur le banc d'un square proche d'une école.

Une cloche aussi grêle que celle de l'ancien dispensaire (mais aucun son n'aurait pu la toucher davantage !) lâchait un vol de gosses qui s'engouffraient dans le jardin par la grille étroite en égratignant l'air froid de leurs cris sans raison. Les pigeons offusqués s'envolaient pesamment. Alors, sœur Emmanuel choisissait « son enfant » et ne le quittait plus des yeux. Durant quelques minutes, les plus précieuses de sa journée, elle devenait la mère de quelqu'un, reconnaissait sa voix entre toutes les autres, étendait la main quand elle le voyait sur le point de tomber. Quand l'essaim se dispersait, sœur Emmanuel se levait ; il lui semblait que le jour venait de tomber. Un après-midi, l'un des petits se trompa de port et vint s'abattre sur ses genoux, tout haletant. Elle n'osait pas parler, de crainte de le détromper — instants miraculeux, le temps s'était arrêté... Une autre fois, elle se prit d'un amour irrépressible pour un petit garçon au teint hâlé. Elle le suivait d'un œil si attentif que la mère s'en vint chercher son enfant et l'emmena jouer à l'autre bout du square, non sans avoir jeté à cette femme sans âge un regard où la méfiance le disputait au défi. Sœur Emmanuel se rappela cette parole de l'évangile : « Mais à celui qui n'a rien, on ôtera même ce qu'il a... »

Un matin qu'elle effectuait, pour l'un de ses vieillards, une démarche à la mairie, elle lut, sur la pancarte qui surmontait un guichet, SERVICE DES ADOPTIONS.

— Quelles sont les formalités requises pour adopter un garçon, s'il vous plaît ?

— Les mêmes que pour une fille, répondit l'employé. (Il parvenait à rire sans que son mégot se décolle de sa lèvre inférieure.)

— Je veux dire : un enfant.

Il énonça les conditions ; elle les remplissait à peu près toutes.

— Et il n'y a pas d'empêchements ? demanda-t-elle encore.

— Aucun.

Elle avait hâte de se retirer ; elle se sentait trahir de toutes parts : ses supérieures, ses compagnes, sa famille ; Vincent lui-même (dont les photos pâlissaient, devenaient méconnaissables dans la pénombre de la chapelle où elle les emportait toujours). Trahir, trahir, tout le monde sauf Dieu.

Au moment où elle atteignait la porte grise :

— Sauf si vous êtes religieuse, naturellement ! lança l'homme avec un rire si épais que, cette fois, il parvint à décoller son mégot.

— Entrez !

La Supérieure générale était quelqu'un qu'on pouvait appeler « ma Mère » sans contrainte et qui ne se sentait ni supérieure ni générale. Elle tressaillit en voyant que sœur Emmanuel avait revêtu sa robe blanche. (Elle-même ne se résignait pas à s'en défaire.)

— Alors, ma petite sœur, comment va-t-on ?

— Fatiguée, ma Mère, répondit une voix très sourde.

Ce mot singulier, et qui convenait si peu au drame qu'elle vivait, était le seul qui lui fût venu à l'esprit.

L'autre sut le traduire comme il fallait, puisqu'elle répondit aussitôt :

— Fatiguée ? Alors, il va falloir redoubler de travail.

— Peut-être.

— Oh ! vous n'êtes pas une nature à peut-être, vous !

Comme tous les cœurs bien nés, sœur Emmanuel tomba dans le piège de la confiance : il lui devint impossible d'articuler une seule des phrases qu'elle avait préparées.

— Tiens, dit la Mère générale après un long silence (dont elle avait craint, à chaque instant, qu'il ne fût rompu par quelque parole décisive), tiens, si nous descendions toutes les deux à la chapelle.

Elles s'y rendirent en silence : rien que le bruissement de leurs robes dans le couloir puis lorsqu'elles s'agenouillèrent : « Mon Dieu, priait la vieille femme, il ne s'agit ni de nous ni même de Vous, mais d'elle, d'elle seule... Elle est libre. Vous et nous la laissons entièrement libre... Alors, qu'elle choisisse le plus grand amour ! Mon Dieu (et elle joignait si fort ses doigts qu'ils prenaient la teinte de l'ivoire), mon Dieu, faites qu'elle choisisse le plus grand amour ! Mais, je ne peux pas juger... Non, je ne le peux pas. »

Lorsqu'elle eut ainsi prié, elle leva les yeux et vit sœur Emmanuel affalée sur le banc plutôt qu'agenouillée, sa tête aux paupières closes reposant de profil sur ses bras croisés. C'était une attitude que la Règle proscrivait formellement : elle *rassura* la vieille religieuse qui sortit sans bruit, comme une mère quitte la chambre où son enfant s'est enfin endormi. Elle remonta dans son bureau et appela au téléphone Mère Marie-Bernadette.

Sœur Emmanuel trouva celle-ci très changée ; cela dut se lire dans son regard.

— J'ai bien vieilli, n'est-ce pas ? demanda l'ancienne Supérieure.

— Ce n'est pas cela, ma Mère.

— Vous avez raison. « Vieillir » est un mot trop commode : c'est un fourre-tout. En fait, je suis doublement en *exil,* à présent, comme disaient les anciens cantiques : loin de l'Afrique et, Dieu merci, plus très loin du Royaume.

Elle se tut. « Voilà, pensa sœur Emmanuel, je la trouve figée, fascinée par la Mort comme l'oiseau par le serpent. C'est donc cela, l'immobilité des très vieilles gens... »

— Allons, ce n'est pas de moi qu'il s'agit, reprit Mère Marie-Bernadette. Je vous ai trouvé une nouvelle besogne, ma petite Sœur. Les vieillards, ce n'est pas pour vous ; d'ailleurs, ils sont insupportables — j'en sais quelque chose ! Tenez, fit-elle en lui tendant un papier, allez tout de suite là-bas : on vous y attend.

— C'est que j'aurais voulu vous dire, ma Mère...

— Une autre fois, ma petite fille, dit l'autre en secouant la tête. Je suis trop fatiguée, je ne peux plus guère m'occuper que d'une chose à la fois. *Unum est recessarium...* C'est à Béthanie qu'il a dit cette parole. Ah ! Béthanie... Le silence, l'amitié, et le soir qui tombe à Béthanie — et si c'était la mort ?... (Elle parut s'endormir, puis se réveiller.) Venez me revoir dans quelque temps, sœur Emmanuel : mettons après huit jours de tavail, voulez-vous ? Ce n'est pas long, huit jours ? Vous pouvez bien me faire cadeau d'une semaine, ma petite enfant ? ajouta-t-elle d'un ton presque suppliant.

Sœur Emmanuel pénétra dans l'orphelinat, son papier à la main. Celui-ci portait une indication précise : Bâtiment 2, section C.

— Je me demande bien pourquoi, fit la petite religieuse qui gouvernait la maison (et qui trottait si vite qu'on avait peine à la suivre). Cette pauvre Mère Marie-Bernadette m'a compliqué la vie : j'ai dû faire des mutations de personnel. Mais bah ! On ne peut rien lui refuser... Tenez ! vous voici chez vous : vingt et un enfants, tous des garçons ! (Elle parlait aussi vite qu'elle marchait.) Moyenne d'âge : dix ans. Ne soyez pas surprise s'ils vous appellent « Maman »... Les enfants ! Allons, les enfants, cria-t-elle en tapant dans ses mains, cessez de courir et taisez-vous un peu ! Voici la nouvelle Maman que je vous ai annoncée… Approchez-vous !…

— Mais qu'avez-vous, sœur Emmanuel ? demanda-t-elle à mi-voix en étendant ses bras si courts vers sa compagne. Vous êtes plus blanche que votre robe !

— Rien, ma Sœur, ce n'est rien, parvint à dire sœur Emmanuel.

Parmi les vingt et un qui criaient « Bonjour, Maman ! » elle venait d'apercevoir un petit garçon aux yeux immenses, beaucoup plus noir, beaucoup plus crépu que les autres.

# TAIS-TOI DONC, ERNEST !

— Rrou rrou rrou, roucoula de nouveau M. Pierson.

— Tais-toi donc, Ernest, dit machinalement son épouse sans même lever les yeux de ce tricot que ses lunettes transformaient en cotte de mailles.

— Rrou rrou rrou... Mais viens donc ! (Lorsqu'il se penchait ainsi, sa grosse personne faisait craquer le fauteuil d'osier.) Mais qu'est-ce qu'elle a ce soir ?

— Elle n'a pas envie que tu lui grattes la tête, dit amèrement Gabrielle. Même une tourterelle peut en avoir assez de faire tous les jours la même chose !

— Pourquoi dis-tu cela ?

Cette fois, M$^{me}$ Pierson avait jeté un regard prompt par-dessus ses lunettes.

— Pour rien, maman. En tout cas, elle ne vient pas ; c'est tout.

La tourterelle fit deux tours sur elle-même en encensant, puis tendant le cou, le regard fixe, elle s'envola pesamment.

— La seconde branche du sycomore, annonça M. Pierson qui demeurait le doigt tendu, celle où les feuilles nous cachent sa présence...

Il était navré. L'après-dîner en septembre sur la véranda encore tiède, entre sa femme et leur fille, quand le cœur et l'estomac (l'un était plus solide que l'autre) vous laissent en paix, vous connaissez une meilleure définition du bonheur, vous ? M. Pierson avait pris sa retraite l'an dernier, et cette arrière-saison heureuse lui paraissait, d'avance, interminable — tout comme l'automne, cette année. Mais le petit bonheur rend exigeant et la menue trahison de l'oiseau le blessait. Il soupira un peu trop fort.

— Je monte me coucher, déclara Gabrielle avec une sorte de fureur contenue.

— Déjà ?

« La tourterelle, et Gabrielle à présent — quelle soirée ! » pensa le gros monsieur. Il se tourna vers son oracle.

— A ton avis, pourquoi...

— Tais-toi donc, Ernest ! coupa M<sup>me</sup> Pierson qui entendait encore le pas léger de Gabrielle dans le vestibule.

— On dirait qu'elle s'ennuie avec nous, reprit-il un peu plus tard (la lumière de l'escalier venait de s'éteindre).

— Quoi d'étonnant ? demanda sa femme en soupirant. Vingt-six ans, seule entre nous deux qui ne rajeunissons pas, cette campagne perdue...

— Je parlais de la tourterelle, avoua M. Pierson, confus.

Trois soirs de suite, la tourterelle refusa le perchoir boudiné que lui tendait celui qui croyait être son maître. Le quatrième, on la chercha en vain.

— Maintenant que j'y pense, je ne l'ai vue ni entendue de tout l'après-midi.

— Pourtant, il me semble bien qu'à l'heure du thé...

— Elle n'avait jamais autant appelé que ces nuits-ci, dit Gabrielle.

— Tu ne dors donc pas ? murmura sa mère.

L'enquête tourna court. On fit le tour de ses refuges familiers, on tendit l'oreille dans toutes les directions, on interrogea les voisins. Décidément, non : le quatrième habitant des « Petits Buissons » (c'était le nom du pavillon, Gabrielle le jugeait ridicule) avait disparu. Disparu durant deux jours, trois jours...

— Je me demande bien ce qu'elle est allée chercher

ailleurs ! s'écriait M. Pierson au cours de chaque repas. Rien ne lui manquait ici.

— Il faut croire que si, fit Gabrielle sans lever les yeux.

— Nous l'aimions bien. Cela ne lui suffisait donc pas ?

— Il faut croire que non, dit M<sup>me</sup> Pierson qui ne quittait pas sa fille du regard.

— D'autant que tout peut lui arriver ! poursuivit le gros monsieur (qui, depuis des années, n'écoutait plus guère ce qu'on lui répondait). Elle était très heureuse ici : elle n'a jamais appris à se défendre. N'importe quelle bête lui ferait son affaire !

— Ce n'est tout de même pas « la tourterelle de monsieur Seguin », fit Gabrielle avec un rire méchant. Pourquoi veux-tu qu'elle soit sans défense ?

— Elle ne peut rencontrer que des ennemis.

— Ou des compagnons.

— Pas meilleurs que nous, Gabrielle !

— C'est à elle de juger, pas à toi.

— Votre dialogue est ridicule, dit M<sup>me</sup> Pierson en reprenant son tricot.

Le soir du septième jour, la tourterelle revint au logis. Sanguinolente, déplumée, l'aile basse, boitant, elle paraissait ivre. M<sup>me</sup> Pierson la soigna en silence ; son mari triomphait.

— Alors, ma pauvre petite, tu as fait la vie, hein ? Et ça t'a bien avancée ! Te voilà belle à présent ! Enfin, tu as eu la sagesse de revenir. C'est encore avec nous que tu es le mieux. Tu vas retrouver ta grande cage ; seulement on en fermera la porte chaque soir désormais. Gabrielle, tu lui donnes double ration, et les graines qu'elle préfère. Allons, allons, répétait-il en faisant crisser son fauteuil, tu es revenue. C'est bien. On te pardonne — mais tu ne recommenceras plus jamais, hein ?

En effet, elle ne recommencerait plus jamais : le lendemain matin, on la retrouva morte dans sa cage, le cou tordu.

— Qui a bien pu faire cela ? se lamentait M. Pierson. La porte de la cage a dû se rouvrir, et le chat des voisins... Ah ! mais je vais aller leur dire deux mots à ceux-là !

— Tais-toi donc, Ernest, dit M<sup>me</sup> Pierson d'une voix altérée.

Qu'a pleuré... puis elle se tamponna les yeux.
Ensuite, de la tête, elle me montra, en la mimant des sourcils, elle nous invitait toutes deux à nous

Partez donc, Denise, lui dis-je, avant que vos

## L'ARRIÈRE-BOUTIQUE

« Nounours » arrivait le premier. Il suffisait d'un coup d'œil pour comprendre son surnom : les petits yeux rusés, l'air bonhomme, et cette toison courte qui lui couvrait le crâne et le menton sans changer de matière ni de teinte. Il arrivait le premier, en sortant de la soupe populaire, mais il n'entrait jamais. Autrefois, à l'école communale, il attendait ainsi devant la porte ouverte qui exhalait son haleine de plumier et de tableau noir ; il attendait Henri ou Albert pour ne pas entrer seul. Mais survenait toujours un matin où il n'entrait plus du tout : à l'école, à la caserne, à l'atelier, chez sa femme... Nounours était un déserteur-né ; le vin rouge avait fait le reste : à présent il était clochard et personne ne connaissait plus son vrai nom.

Il s'asseyait sur le trottoir, le dos contre ce mur tiède (qui passait, lui aussi, la journée à emmagasiner de la chaleur), les yeux plissés, les genoux de velours contre son menton qui semblait de la même étoffe et il attendait les autres. Les autres : Arsène dit « la Musique », Marcellin dit « Beaujolais », et Waldemar je-ne-sais-quoi dit « le Grand-Duc », le seul clochard russe de Paris. Une petite musique nasillarde annonçait Arsène avant qu'il ait tourné la rue. Tout le jour, il écoutait ce minuscule récepteur trouvé dans la poubelle d'un grand hôtel. Quand il avait cessé de fonctionner, l'Américain avait dû le secouer trois ou quatre fois, dire « *Damn !* » et le jeter dans la corbeille. A l'aube du lendemain,

102

Arsène l'avait cueilli parmi les déchets, secoué dix ou douze fois et la petite musique avait repris ; et, pour la première fois depuis la mort de sa femme, Arsène avait retrouvé une compagnie.

— T'es déjà là ?

Quel que soit l'arrivant, c'étaient les premiers mots — les seuls, d'ailleurs — qu'il adressait à Nounours. Les seuls, parce qu'ils s'étaient à peu près tout dit depuis cinq ans qu'ils vivaient ensemble, ou plutôt côte à côte. Quand c'était « Beaujolais » (la bouteille sortait de la poche de son manteau toutes-saisons), on n'entendait qu'un vague aboiement : « … jà là ? » Quand c'était « le Grand-Duc », toujours cérémonieux, le seul qui gardait ses longues mains presque propres, la question devenait incompréhensible, comme presque toutes ses paroles. Exilé, chauffeur de taxi, il ne s'était jamais consolé d'un accident mortel qu'il avait causé un soir de vodka. Il se considérait comme damné et, sans M$^{lle}$ Hélène, il se serait depuis longtemps jeté dans la Seine.

M$^{lle}$ Hélène attendait ses « quatre mousquetaires » dans l'arrière-boutique de son épicerie. Jamais l'un sans l'autre ! Elle le savait. Elle avait perdu son père, sa mère et son fiancé la même année et, comme elle n'était pas assez riche pour tomber en langueur, elle s'était jetée dans le travail. « Il faudrait être au moins deux pour tenir cette succursale ! avait dit le chef du personnel. Dans la plupart de nos magasins, la gérance est assurée par un couple, ou encore par une mère et sa fille, ou encore… » Chaque phrase rouvrait une blessure pour M$^{lle}$ Hélène mais la confirmait dans sa décision. « Vous verrez ! »

Il avait vu ; le quartier entier avait vu : sa boutique déjà ouverte à l'heure des chats errants et pas encore fermée tandis que, dans un tonnerre familier, toutes les autres avaient baissé leur rideau de fer. Elle laissait le sien à demi ouvert, telle une paupière, comme pour encourager les retardataires à se hâter — mais elle-même avait-elle vraiment hâte de se retrouver seule avec son tiroir-caisse ? « Ah ! M$^{lle}$ Hélène, vous êtes encore ouverte ! Qu'est-ce que nous ferions sans vous ? » — Qu'aurait-elle fait sans ces visiteurs du soir qui tenaient encore en respect pour quelques moments les fantômes de sa vie perdue ? Tout ce qui vivait sans défense trouvait recours auprès d'elle. Les ratés deviennent souvent ennemis de tous ; mais les femmes qui ont manqué leur vie trouvent quelquefois une maternité tardive. M<sup>lle</sup> Hélène remplissait, au petit matin, des soucoupes de lait pour les chats sans maître qui ne la remerciaient qu'en miaulant un peu plus tôt chaque jour. A midi, elle nourrissait ses clochards dans l'arrière-boutique ; et il était rare que, le soir, quelque jeune aux yeux creux, garçon ou fille, qui comptait ses pièces pour lui acheter un *berlingot* de lait, seule nourriture de la journée, ne reparte pas sans un gros sandwich au jambon tout transpirant le beurre. Ou plutôt, il dînait là en lui racontant sa vie puis en feignant d'écouter les conseils de M<sup>lle</sup> Hélène. Elle avait détourné quelques-uns d'entre eux de la drogue et même empêché une jeune Suédoise de se suicider en la gardant deux nuits chez elle. Depuis peu (car les réputations vont vite), elle était devenue l'amie des prostituées qui voulaient « en sortir ». Un soir, elle avait tenu tête à un souteneur avec, pour arme, son grand couteau à charcuterie. Une autre fois... — mais on n'en finirait pas avec les bienfaits de M<sup>lle</sup> Hélène. Au fur et à mesure qu'elle *maternait* le quartier, elle prenait les formes un peu trop abondantes d'une mère de famille nombreuse ; hanches et poitrine n'étaient plus celles d'une vieille fille. Le jour de la Fête des Mères, ses quatre clochards lui apportaient chacun une plante trouvée ou subtilisée du côté des Halles. Ils se dandinaient comme des enfants ; elle baisait quatre joues rugueuses, rubicondes et comme vernissées par l'alcool. Chacun d'eux songeait à sa mère et, malgré la crasse et les cuites, redevenait un petit enfant pur et joyeux. Le lundi, fermeture hebdomadaire, était leur jour de deuil. Ils se saoulaient, se battaient et, le mardi, M<sup>lle</sup> Hélène retrouvait leurs visages couverts de croûtes comme un plat resté trop longtemps au four. « Allons bon ! Vous avez encore fait les enfants ! » De sales gosses de quarante ans qui avaient déjà oublié leurs griefs, mais pas leur rancune. Waldemar, arbitre souverain, faisait d'une lèvre méprisante l'historique de ces querelles. M<sup>lle</sup> Hélène feignait de comprendre ce récit et hochait la tête comme pour dire : « Mes pauvres petits, mais qu'est-ce que je vais faire de vous ? » Elle les privait de vin pour une journée ; Nounours, sans changer de faux sourire, calculait que, la veille, ils en avaient bien bu pour deux jours... A la fin, pour les préserver de la chute, elle leur ouvrit l'arrière-boutique le lundi. Cela trancha les derniers liens qu'elle conservait avec sa vraie famille : car c'était le seul jour où elle pouvait rendre visite à l'oncle Auguste à Colombes ou à la mère de son fiancé, toujours en deuil, quelque part vers Noisy-le-Sec. Beaujolais seul regretta cette journée de cuite hebdomadaire qui lui paraissait un des droits de l'homme. Le Grand-Duc méprisait leur vin rouge et buvait de la vodka qu'un ancien compagnon, portier d'un restaurant russe, lui versait dans des bouteilles d'eau minérale.

Un hiver, M<sup>lle</sup> Hélène tomba malade. A tour de rôle, ils vinrent lui faire des visites de pauvres, assis là sans un mot. Arsène lui prêta sa radio, pour la distraire ; l'appareil lui-même sentait le vin rouge. En descendant de la chambre, chacun grappillait un peu de bouffe (ce que Waldemar appelait plus dignement « des comestibles ») dans le dos du commis qui remplaçait M<sup>lle</sup> Hélène. Mais, même lorsque la boutique était vide et le commis au fond des réserves, jamais aucun ne toucha au tiroir-caisse. Quand M<sup>lle</sup> Hélène reprit sa place et que les chats de l'aube retrouvèrent leur soucoupe, les clochards leur repas de midi et les *hippies* leurs souper-confidences, les quatre mousquetaires se sentirent reprendre pied. « On était comme des orphelins », dit seulement Beaujolais, et il ne comprit pas pourquoi M<sup>lle</sup> Hélène tirait un mouchoir de la poche de sa blouse blanche et s'essuyait les yeux.

Les Halles de Paris existaient encore à l'époque ; et, tous les jours, à l'heure où le soleil se couchait lentement dans le lit de la Seine (et l'aisselle des ponts passait du roux au pourpre) les quatre se retrouvaient sous le Pont-Royal pour partager leur butin. Fromages, fruits, charcuterie, chaque pavillon était le domaine réservé de l'un d'eux, et Beaujolais les approvisionnait en boisson.

Un soir de mai, comme Waldemar entreprenait pour la vingtième fois le récit de l'assassinat des Romanov (mais chacun ayant, à ses jours de cafard, besoin de l'attention des autres, écoutait patiemment), ils virent un garçon en loques, en larmes et titubant qui se dirigeait droit vers l'eau.

— Arrête, compagnon ! hurla Nounours.

L'autre vacilla, somnambule qu'on réveille, les regarda l'un après l'autre, puis reprit sa marche vers le fleuve.

— Quel con ! dit Beaujolais. (Il tenta de se relever mais retomba assis sur la pierre.) Merde !

Waldemar bondit comme s'il se fût agi de sauver le tsarevitch en personne et ceintura juste à temps le désespéré qu'il se mit à sermonner en russe. L'autre se débattait ; la Musique vint à la rescousse mais, si Nounours n'était pas intervenu à son tour, les trois seraient tombés en grappe dans la Seine.

On partagea en cinq le dîner-butin ; mais le nouveau venu continuait à pleurer sans toucher à rien. Chacun des compagnons le prit à part et tenta de le rallier à la grande fraternité des hommes en lui racontant ses propres malheurs. Soudain l'autre tomba endormi et sa physionomie devint, à la crasse et la barbe près, celle d'un adolescent.

— Nous voilà bien ! dit Beaujolais. On ne peut pas le laisser seul ici, ce gosse : il va se refoutre à l'eau dès qu'il se réveillera.

— Nous sommes quatre et pas cinq, fit fortement Nounours. S'il fallait s'occuper de tous les mecs qui...

— Si ça se trouve, murmura la Musique (sa femme était morte il y a dix ans et sa déchéance avait commencé cette nuit-là), si ça se trouve, c'est un chagrin d'amour...

Nounours plissa les yeux et de petites dents carnassières brillèrent dans le buisson roux de sa barbe.

— Un chagrin d'amour, répéta-t-il en singeant l'autre.

— Vos gueules, ordonna Beaujolais le Pacifique. Waldemar, qu'est-ce que tu en penses, toi ?

Le Grand-Duc se leva pour donner plus de majesté à son verdict :

— C'est M$^{lle}$ Hélène qui décidera, énonça-t-il, nous l'emmènerons là-bas.

Dès que M$^{lle}$ Hélène l'eut dévisagé, elle pensa : « Celui-ci, on pourrait encore le tirer d'affaire ! » Et aussitôt après : « Pourtant, il ne faut pas le séparer des autres... » Déjà, ils levaient vers elle le regard des parents qui conduisent leur enfant chez le médecin. « S'ils se rendaient compte qu'il n'est pas comme eux un type perdu, seraient-ils contents ou jaloux ? » — Elle décida de ne pas prendre ce risque et s'arma de patience. Il lui fallut trois jours pour décider Gérard (une soirée entière avant qu'il lui livrât son prénom !) à apporter, lui aussi, sa gamelle dans l'arrière-boutique ; puis une semaine avant qu'il accepte de se rendre aux bains-douches de la rue Racine. Bientôt Nounours constata sans plaisir qu'il arrivait le premier à midi chez M$^{lle}$ Hélène. Parfois même, Gérard se privait de la soupe populaire pour pouvoir parler seul avec elle.

— Regardez, lui disait M$^{lle}$ Hélène, les poches que vous aviez sous les yeux ont presque disparu... Vous vous rappelez le visage tout bouffi que vous montriez l'autre semaine ?... Si seulement vous cessiez de boire... Je sais bien que les autres vous entraînent, mais...

— Non, dit enfin Gérard en regardant ailleurs, ce n'est pas cela. Mais quand je bois, je ne pense plus à elle.

— Nous y voilà ! fit M$^{lle}$ Hélène vaguement jalouse.

— Si vous croyez qu'il s'agit d'une fille, vous n'y êtes pas du tout !

— Mais...

— C'est à ma mère que je pense. Elle m'a abandonné. Elle ne m'a jamais aimé. Personne ne m'a jamais aimé !

— Il ne faut pas dire cela, murmura M<sup>lle</sup> Hélène d'une voix altérée. (Il ramena ses yeux sur elle si brusquement qu'elle n'eut pas le temps de modifier l'expression de son visage.) Regardez vos quatre amis, reprit-elle trop vivement : ils vous aiment, à leur manière !

— Merci bien ! Leurs souvenirs et leurs chansons je les connais déjà par cœur.

— Ils ont souffert...

— Et moi, cria-t-il, je n'ai pas souffert, moi ?

Il éclata en sanglots. Elle osa saisir cette tête d'enfant triste qui, pourtant, lui résistait avec une vigueur d'homme, et la cacher sur sa poitrine. C'était un geste maternel, mais elle en ressentit un trouble si nouveau qu'elle garda un peu trop longtemps contre elle ce visage qui pesait lourd. Comme pour chercher une excuse, elle demanda imprudemment : « Vous êtes bien ? » Il opina et ce mouvement même lui causa un nouveau plaisir. Ses mains tremblaient. Il le sentit bien lorsqu'elle s'efforça de le repousser doucement.

— Allons, fit-elle (il lui fallut tousser pour s'éclaircir la voix), ce sont les enfants qui ont besoin de « câlins » !

Mais elle venait de comprendre, bien qu'elle le refusât de toutes ses forces, qu'il n'était pas un enfant et qu'elle-même demeurait une femme.

Ce jour-là, les quatre autres lui parurent assez répugnants. Le remords aidant, elle leur remit double ration de « comestibles », ils ne s'en sentirent pas plus heureux. La nuit suivante, ils se saoulèrent et M<sup>lle</sup> Hélène dormit mal, délicieusement mal. Elle décida vertueusement de réconcilier Gérard avec sa mère. Elle espérait bien ne pas réussir ; ou que, si elle y parvenait, ce fantôme chéri se confondît avec elle-même. Une très jeune mère... En vérité, si le garçon voyait en elle sa mère (rien n'était moins sûr), elle retrouvait en lui — carrure, odeur, toison — son fiancé perdu. Elle cessa de manger du pain, de boire durant les repas. « On dirait que vous maigrissez, mademoiselle Hélène. Vous n'allez pas nous tomber malade ? » — « Je ne sais pas ce que j'ai », répondait-elle et c'était la vérité. Elle parvint à persuader Gérard de ne boire que de l'eau. Comme il refusait désormais de puiser au goulot de la bouteille commune, les autres l'appelaient « Que-d'l'eau ».

« Que-d'l'eau » faisait l'apprentissage accéléré de l'amour filial ; mais ni lui ni M$^{lle}$ Hélène ne connaissaient les théories du Dr Freud. A trente ans, il retrouvait une mère que nul père ne lui partageait ; une mère particulièrement rassurante, adossée à un magasin de comestibles et vêtue d'une blouse blanche. Il faut avoir eu faim, il faut avoir échoué dans un hôpital pour savoir qu'une devanture d'épicerie et une infirmière bien en chair sont deux garanties majeures contre le désespoir. M$^{lle}$ Hélène l'en protégeait désormais ; elle incarnait toutes les femmes du monde, c'est-à-dire notre seul rempart contre la mort. Il l'embrassait sur les joues chaque jour en arrivant (avant les autres), puis en repartant après eux. Au début, la douceur de cette peau lui procurait seulement un plaisir enfantin ; mais M$^{lle}$ Hélène s'avisa de se poudrer les joues, de se parfumer, et il y trouva un plaisir différent. La rondeur, la fermeté de ces formes lui en évoquait d'autres moins innocentes ; il devenait pareil à l'ogre : « Ça sent la chair fraîche... » Quand il s'en aperçut (et ce fut un rêve indécent qui le lui révéla), il tomba dans un tel abattement qu'il disparut trois jours durant. M$^{lle}$ Hélène tomba malade d'inquiétude ; cette angoisse, qu'elle feignait maternelle, lui allait bien. Il arrive que le chagrin vous rajeunisse, pour un temps.

Lorsqu'il revint, maigre comme un loup (il n'avait rien mangé depuis sa fuite), ils se regardèrent en silence avec des yeux que le manque de sommeil rendaient pathétiques. Il revenait en fils repentant — du moins

109

s'était-il efforcé de le croire tout le long du chemin. Mais lorsqu'elle lui dit, d'une voix singulière : « Mon petit, pourquoi ? » ce n'était pas du tout sur le ton d'une mère. Elle lui ouvrit ses bras ; il crut que c'était pour « un câlin » de repentance et de pardon ; mais les lèvres sont bien proches des joues et les mains des hommes sont des bêtes trop curieuses. Malheureusement, la porte de l'arrière-boutique était entrebâillée et les quatre y étaient arrivés en silence, un bouquet disparate à la main pour consoler M$^{lle}$ Hélène de la fugue de Que-d'l'eau.

Ils tinrent conseil tout l'après-midi, ou plutôt tribunal. M$^{lle}$ Hélène étant au-dessus de toute accusation, Que-d'l'eau ne s'en trouvait que plus coupable. Mais coupable de quoi ? Et en quoi tout cela les concernait-il ? — En fait, la Panique présidait leur assemblée : perdre M$^{lle}$ Hélène, ce n'était pas seulement avoir un peu faim à midi mais, Beaujolais l'avait dit, se retrouver orphelins. Si M$^{lle}$ Hélène devenait une femme comme les autres, elle cesserait d'être une mère. En la confisquant pour lui seul avec une belle ingratitude, Que-d'l'eau la volait à ses compagnons.

— Il ne s'agit pas de nous autres mais de tout le quartier ! surenchérit la Musique (qui avait été avocat avant d'aller en prison).

Et il peignit le tableau désolant d'un quartier où les chats allaient retourner à l'état sauvage, les *Beatnicks* se droguer à mort, les prostituées retomber sous le joug des proxénètes.

— Vous êtes fous, déclara Waldemar en se levant. M$^{lle}$ Hélène est libre et nous devons la respecter. Nous ne retournerons plus chez elle, voilà tout.

C'était l'évidence, à la condition de considérer l'épicière comme une souveraine ou comme la sainte Vierge ; mais cela ne faisait pas l'affaire des trois enfants hirsutes.

— On ne te comprend pas, reprit la Musique. Tu n'as pas d'honneur. C'est justement parce qu'on respecte M^lle^ Hélène qu'on veut punir Que-d'l'eau. Si tu es un homme, tu dois être avec nous.

C'est l'argument dont les hommes couvrent leurs violences et leurs sottises ; le Grand-Duc s'y laissa prendre.

A la nuit tombante, Gérard partit à la recherche de ses compagnons. Il se sentait honteux de lui, écœuré au physique comme au moral et, pour la première fois, il avait besoin de la compagnie hébétée, chaleureuse et brutale des Quatre. Il espérait bien qu'ils le rudoieraient pour son absence et il se promettait de sceller la paix en buvant avec eux toute la nuit. Il n'en eut pas le loisir. En arrivant sous l'arche ténébreuse, il se sentit saisi à quatre mains (Beaujolais, à demi ivre, était retombé assis sur la pierre, cette fois encore).

— Non ! cria le Grand-Duc.

— Ta gueule ! fit Nounours, ce qui est dit est dit !

— D'ailleurs, ajouta la Musique, je ne comprends pas que tu le défendes : c'est un communiste...

Gérard se laissait faire, heureux de *payer* : Œdipe n'est-il pas le premier à réclamer un châtiment ? Mais il comprit un instant trop tard en quoi consistait celui-ci. Comme il ne savait pas nager, il ne reparut qu'une seule fois à la surface du fleuve, mais avec un visage que les autres n'oublieraient jamais.

Waldemar excepté, ils se présentèrent dès le lendemain à l'arrière-boutique.

— On n'a pas pu venir hier, dit Beaujolais, parce que... heu...

« Tant mieux », pensa M^lle^ Hélène qui guettait en vain quelqu'un d'autre derrière leurs silhouettes répugnantes.

— Toujours pas de nouvelles de Que-d'l'eau ? osa demander Nounours.

— Non, mentit M^lle^ Hélène qui ajouta pour elle seule : il reviendra sûrement.

— On ne sait jamais avec ce genre de types, fit gravement la Musique : c'est un instable.

M<sup>lle</sup> Hélène les quitta pour monter à l'étage : elle ne parvenait plus à respirer, son cœur éclatait de remords, d'anxiété, d'espérance.

— On est tout de même de beaux salauds, murmura Beaujolais entre deux bouchées. Pourquoi rigoles-tu, Nounours ?

— Je pense à Que-d'l'eau, dit la brute de velours : à présent, il mérite bien son nom...

Ivre mort de vodka, le visage salé de larmes, le Grand-Duc dormait parmi ses vomissures sous l'arche du Pont-Royal. Il ne retourna jamais dans l'arrière-boutique.

# UNE PETITE FÊTE

IL tourna la clef dans la porte en évitant le moindre grincement, puis demeura sur le seuil, immobile, l'oreille tendue, la narine arquée. L'absence d'odeur le renseigna, au moins autant que le silence : Isabelle n'était pas là... Il referma la porte sans bruit, comme si ce désert méritait plus d'égards qu'une maison vivante. En passant devant le miroir du vestibule, il évita de se regarder : il connaissait bien l'expression que montrait son visage en ce moment, et il ne l'aimait pas. Vendredi soir : pas de bureau demain. Il posa sa serviette, puis revint la cacher dans un tiroir, comme l'étudiant qui sort d'un examen et ne veut plus entendre parler de livres pour un temps.

Le premier bruit qui réveilla cette maison morte fut le torrent des robinets qu'il ouvrit, baignoire et lavabo, les quatre à la fois. Pourtant, il ferma toutes les portes, comme si ce joyeux tumulte devait demeurer un secret, s'approcha du téléphone, hésita encore un instant (toujours ce visage — mais il n'y pensait plus) et composa un numéro.

— Allô... Adrienne ? C'est Henri... Bien, et vous ?... Dites-moi, je suis un peu confus de vous déranger, mais Isabelle n'est pas rentrée et je me demandais...

Adrienne changea de voix, fut saisie d'une quinte de toux qu'elle ne chercha pas à atténuer, expliqua qu'Isabelle se trouvait auprès d'elle — et Dieu merci ! car elle se sentait très faible (l'instant d'avant, elle avait répondu : « Très bien... »). D'ailleurs, elle venait de prendre sa température : 38,7...

— 38,7 !

38,7 ! Avec cet hiver qui n'en finissait pas (bref dialogue sur le temps) la grippe revenait à la charge, vous savez ce que c'est... Isabelle était descendue chercher des médicaments ; elle allait remonter mais resterait sans doute quelque temps auprès d'elle. Que Henri ne s'inquiète surtout pas !

Il promit qu'il ne s'inquiéterait pas : qu'Isabelle ne se donne pas la peine de le rappeler et rentre à son heure — et surtout soignez-vous bien, Adrienne !

Il raccrocha, composa un autre numéro, se fit un visage attentif et crédule et, cette fois, ne parla pas d'abord de santé, car Fernande était moins rouée qu'Adrienne. Est-ce que, par hasard, Isabelle ne se trouvait pas chez son amie ? Elle avait exprimé l'intention de lui rendre visite et, comme elle n'était pas encore rentrée...

— Oui, dit Fernande un peu trop vivement, elle est ici, et Dieu merci ! car je ne me sens pas bien du tout.

— Allons donc !

Fernande hésita imperceptiblement sur le choix d'un mensonge, puis s'arrêta à l'intoxication alimentaire avec un flot de précisions concernant le repas, le plat, l'allergie, les symptômes...

— Pourtant, vous avez une bonne voix, dit-il.

Comme il l'avait prévu, cette voix changea aussitôt, se fit lasse et languissante. Isabelle avait eu la gentillesse de descendre jusqu'à la pharmacie — et peut-être, si cela ne contrariait pas trop son mari, Fernande lui demanderait-elle de veiller un peu à son chevet, car franchement, elle se sentait faible. — Vous savez ce que c'est ! Il savait ce que c'était, recommanda qu'Isabelle ne lui téléphonât pas et qu'elle ne rentrât pas avant que Fernande se fût endormie — et surtout soignez-vous bien !

Cette fois, il marcha jusqu'à la glace et s'y regarda longuement. Il n'aimait toujours pas l'expression de son visage ; mais enfin, ceux d'Adrienne, de Fernande et d'Isabelle l'aidaient à le trouver convenable. Il évitait de songer à celui d'André, chez qui se trouvait certainement Isabelle. « En ce moment même, Adrienne appelle André (qui s'affole, le salaud !) et prévient Isabelle. Fernande essaie, de son côté. Pas libre ! Elle s'impatiente. Quand elle pourra la joindre à son tour, il sera trop tard : Isabelle m'aura déjà appelé. » (Car elle va le faire : elle veut avoir bonne conscience.) « Je vais passer une partie de la nuit auprès d'Adrienne que je ne trouve pas bien du tout, mais pas bien du tout ! Cela ne te contrarie pas trop ? — Mais non, mon petit... » Dès qu'elle aura raccroché, Fernande appellera. André sera de plus en plus affolé. Mais Isabelle échafaudera une fabuleuse histoire de coïncidence, de navette entre ses amies malades, qu'elle me débitera avec flamme en me regardant droit dans les yeux — et c'est moi qui baisserai les miens...

Il songeait avec plaisir à ce méprisable petit affolement que lui seul avait provoqué : il avait réussi à inverser les rôles et il observait la fourmilière. « Elle ne devrait plus tarder à présent », se dit-il. A ce moment, le téléphone sonna. Avant d'aller répondre, S. se composa, devant le miroir un visage suffisamment hypocrite.

— Allô, c'est toi ?

Isabelle ne lui laissa pas placer une parole. Pauvre Adrienne... Cet hiver qui n'en finissait pas... La grippe, dont les rechutes sont toujours pires... Elle avait dû arpenter le quartier pour trouver une pharmacie ouverte ; c'est pourquoi elle n'avait pas téléphoné plus tôt... Si cela ne le contrariait pas trop, elle resterait auprès de son amie... Assez tard peut-être... Qu'il ne s'inquiète pas...

S. savait qu'André tenait l'écouteur. Il devait être nu, ce salaud ! Une dernière bouffée de rage... La dernière, vraiment : il raccrocha avec le plus grand calme et poussa le soupir de celui qui vient de se débarrasser d'une corvée difficile. Les rôles inversés...

Il rangea l'appareil au plus loin comme il avait caché

son porte-documents. Non seulement l'appartement, mais la soirée entière étaient vides, ouverts, disponibles. Il eut l'impression de respirer mieux.

« Le bain ! » — la baignoire débordait presque, et le trop-plein de la cuvette déglutissait une eau claire et fumante. Il arrêta cette grande jubilation de robinets, ferma les volets, les rideaux, se déshabilla avec lenteur et presque rituellement, cacha ses vêtements et ses chaussures, mit tout son linge au sale et se plongea dans son bain, tête comprise. Lorsqu'il resurgit de l'eau, il sut que son visage avait enfin perdu l'expression détestée. « Ça fait du bien ! » murmura-t-il, et encore : « On se sent mieux... » — paroles bonhommes et frustes, paroles d'enfant, mais il n'en trouvait pas d'autres.

Il se lava méticuleusement, comme s'il lui fallait se débarrasser d'on ne sait quelle crasse trop longtemps supportée, se rinça d'eau neuve, sortit à regret de cette planète tiède. Il avait extrait du grand placard un grand peignoir blanc et, lorsqu'il l'eut revêtu, il s'accorda un nouveau regard dans la glace embuée. Il s'y vit rajeuni de dix ans, les yeux clairs — et ce reflet l'intimida au point qu'il se mit à siffler comme font les enfants farauds. Il se rasa avec soin, deux fois de suite (comme le matin de ses noces), se lava les cheveux, se cura les ongles. Il pensait, de temps à autre, à ce salaud d'André mais calmement, comme un homme en train de prendre sa revanche et que chaque geste venge un peu plus. Il choisit longuement son pyjama préféré — un qu'Isabelle détestait et qui datait d'avant leur mariage. Malheureusement, elle avait jeté, l'an dernier, sa robe de chambre d'étudiant ; il lui fallut en prendre une autre (dont elle lui avait fait cadeau), mais nettoyée, repassée et si raide qu'elle en semblait neuve.

Il découvrit, sous la pile, un très vieux disque — je crois bien qu'ils ne l'avaient jamais écouté ensemble — et le fit jouer très doucement. La musique paraissait frayer son chemin à travers des saisons et des saisons. Son cœur se mit à battre si violemment qu'il dut arrêter l'appareil. « Pas besoin de musique ! »

Un coup d'œil à la pendule : Isabelle ne téléphonerait plus à présent. Elle remettait à cette nuit, ou plutôt à demain (car il feindrait de dormir), une explication d'autant plus détaillée qu'elle serait moins plausible. « Demain... » S. eut un geste étrange des mains et des épaules, comme pour rejeter tout ce qui n'était pas l'instant présent, comme pour chasser pêle-mêle les mensonges stupides et l'irrémédiable vérité, Isabelle, ses amies complaisantes (il ne les reverrait jamais), ce salaud d'André (qui avait été son ami fraternel) — et aussi cette ville anonyme, ce métier abrutissant, ces années de docilité tracées d'avance, ce désert, ce désert — tout ! Un geste étrange et qui lui avait échappé, mais son cœur recommença de battre trop fort, ce cœur indépendant de lui : le prisonnier cognait contre les murs.

S. essaya de siffler. Comme il y parvenait mal, il se dirigea vers la cuisine, ouvrit le réfrigérateur puis le placard aux provisions. « Tout ce que j'aime ! » Il retrouva ses gestes d'étudiant pour confectionner lentement un souper à son goût, se dressa un couvert dans le salon (« J'aurais dû acheter des fleurs... »), ouvrit l'une des bouteilles qu'on tenait en réserve depuis des années « pour le jour où ». Eh bien ! c'était « le jour où... ». Une odeur délicieuse s'évadait des casseroles. Il goûta cérémonieusement, ajouta un peu de ceci, un peu de cela, versa dans des plats d'argent, les porta au salon, déplia une serviette à ramages (les grandes, celles de son enfance) et s'assit en faisant : « Ah !... »

Pourtant, il se releva encore pour aller fermer les verrous de la porte d'entrée. L'odeur chaleureuse du repas avait atteint le vestibule ; elle l'accompagnait, à la manière des bêtes fidèles et silencieuses, et il regretta *Gudule,* la chienne des vacances anciennes. Comme il passait devant l'appareil, il mit de nouveau le vieux disque et cette musique lui fit plaisir. Non ! pas « plaisir », bien davantage : elle lui tenait compagnie, comme l'odeur, comme la serviette, comme le pyjama. On n'est jamais tout à fait seul, sinon on mourrait, je pense.

Lorsqu'il eut achevé son repas, il se versa un verre de cognac, alluma un très gros cigare, l'un de ceux qu'il offrait, les soirs de « grands dîners ». Ce soir, les autres c'était lui. Il s'allongea sur le canapé : « Je suis heureux », pensa-t-il. — Heureux, répéta-t-il tout haut.

Il laissait le temps s'écouler. Lui qui se faisait un devoir de bourrer chaque journée comme une valise de pauvre, lui qui ne se souvenait pas d'avoir perdu une seule minute depuis tant d'années, il laissait couler le temps, pareil à celui qui s'est tranché les veines du poignet et regarde couler son sang. « Heureux, je suis heureux... »

Pourtant, lorsque, verre vide et cigare éteint, il se dirigea vers son lit, si sûr de bien dormir, en passant devant la grande photographie de sa mère qui se trouvait au seuil de sa chambre, il éclata en sanglots.

# L'ACCOMMODEMENT

D'UNE main aveugle, la Mamma chercha derrière elle son fauteuil familier et s'y laissa tomber.

— Le petit Pascal, murmura-t-elle, mon Dieu...

Ses petites mains, toujours si actives, ne cherchaient plus qu'à cacher son visage. Elles paraissaient mortes. Des larmes filtrèrent à travers les doigts. On l'entendit répéter d'une voix altérée, comme pour elle seule :

— Le petit Pascal... Cette fois je ne parviendrai pas à l'en tirer...

Quelqu'un dit :

— Mais il est à l'hôpital universitaire. Nulle part ailleurs, il ne serait mieux soigné !

— Il s'agit bien de cela, dit la Mamma avec un geste impatient qui rendit vie aux deux petites mains blanches.

La Mamma fit le tour de ses amis croyant comme elle-même et s'informa avec délicatesse de leurs chagrins, de leurs soucis, donc de leurs prières. Beaucoup pouvaient à peine y faire face. Quelques-uns, au contraire avaient l'âme au large. Provisoirement, la douleur du monde ne les submergeait pas ; ils en éprouvaient cette sorte de honte qui les rend incompréhensibles à la plupart des hommes. La Mamma, posant sa petite main sur la leur, parla de Pascal et, sans les quitter du regard, le leur confia.

Elle comptait surtout sur son amie S. qui, la seule de

toutes (elles se connaissaient depuis l'école maternelle), avait conservé son regard d'enfant. On lui disait
parfois qu'elle était « une sainte » — ce qui est le
comble de l'indélicatesse ou de la futilité. Elle éclatait
alors d'un rire si franc qu'on perdait toute envie de
recommencer.

La Mamma la trouva soucieuse.

— J'ai plus de charges que de grâce, lui dit-elle sans
s'expliquer davantage. Je suis une ville investie où l'eau
commence à manquer. Vous me comprenez ?

La Mamma n'osa pas lui répondre que non. Elle
avait — c'était la contrepartie de son activisme —
catalogué ses amis une fois pour toutes. De toute façon,
S. était une sainte et, même assiégées, les saintes ne
manquent jamais d'eau vive. La Mamma approchait de
la perfection, mais elle non plus ne possédait pas de
définition de la sainteté.

— *A propos,* dit-elle (en fait, rien n'était de propos
désormais), je voudrais vous parler de mon petit
Pascal. Il est au plus mal.

— Quoi ! Le petit Pascal, s'écria S. consternée.

— Les médecins l'ont condamné, insista la Mamma.

— Il ne faut plus compter que... sur vous !

— Je suis épuisée, fit la Mamma d'une voix altérée
et ses yeux devinrent trop brillants. Tant d'êtres à
soutenir, corps et âme...

— C'est notre seule utilité vraie. Peut-être — par-
donnez-moi de vous parler ainsi — faites-vous trop de
choses ?

— J'essaie de...

— Vous êtes une femme très... complète. Bien plus
que moi — si, si ! (Les petites mains blanches faisaient
« non, non ».) Mais à notre âge, je me demande...

Elle n'acheva pas sa phrase. La Mamma reprit :

— Et moi je vous demande... Enfin, fit-elle très vite
en se levant, pensez au petit Pascal, je vous en prie.

— Sans doute, le pauvre enfant, mais...

— Je vous le confie, ajouta la Mamma un peu trop
bas pour être bien sûre de se faire entendre.

120

Elle sortit de chez S. avec l'impression d'avoir commis une lâcheté.

Le petit Pascal mourut dans la nuit du mardi au mercredi. Personne n'osa le dire à la Mamma ; pourtant, elle dut l'apprendre par d'autres voies car, à son tour, on la trouva morte d'un arrêt du cœur le jeudi matin. « Si c'était vraiment un arrêt du cœur, remarqua quelqu'un, n'aurait-elle pas, sur le visage, une expression plus paisible ? »

Ces petites mains enfin immobiles sur le drap presque aussi blanc qu'elles, on ne pouvait en détacher son regard. On ne parvint pas à les joindre.

# LE VISITEUR

*LUNDI.* — Je crois qu'il ne me reste qu'à plier bagage, fermer les volets de la maison, claquer derrière moi la grille du jardin et retourner à la ville. J'avais cru que le silence et la solitude de cette campagne faciliteraient mon travail, « m'inspireraient », comme le disent ceux qui n'ont jamais entrepris d'écrire. Il semble que ce soit tout le contraire : que le silence, la solitude et le vide se soient installés dans ma tête. Je me sens l'imagination déserte, la pensée engourdie, la main paresseuse. Au lieu de l'histoire étrange que j'avais échafaudée, je ne suis bon qu'à tenir ce *journal* qui n'intéressera personne, pas même moi. Allons, je me donne encore deux journées et, si j'y demeure stérile, je quitterai ce lieu malgré son charme, malgré ces voisins accueillants dont la maison, le jardin, l'amour qu'ils se portent m'offrent l'image même du bonheur. Leur petite fille ne montre aucune timidité ; dès ma première visite (je m'étais pourtant juré de n'en faire aucune) elle s'est jetée à mon cou. Dix ans, blonde, une transparence, la grâce même. Ces mots « amour, bonheur, grâce », je voudrais ne jamais m'en être servi, les employer pour la première fois sans complaisance. Il faudra pourtant m'arracher à ce voisinage : mon œuvre passe avant tout le reste ; ici, elle n'a pas progressé d'une ligne. Le calme, le bonheur, ni celui des autres ni le mien, ne sont son climat.

122

*Mardi.* — Il vient de m'arriver une chose singulière. Cela m'est advenu ce matin, et voici que la nuit tombe sans que j'aie même songé à avaler une bouchée ou à boire une gorgée. Il eût fallu me lever de ma table de travail et cela m'eût imposé une véritable souffrance. La main n'a pas lâché la plume, et la plume a noirci plus de feuillets que je n'en ai jamais écrit de suite. *Ma pensée avait du mal à suivre ma main !* Je conçois bien ce que cette phrase a de ridicule, et pourtant elle exprime la vérité. Quelque chose, en moi, galopait devant moi... Ce soir, je serais assez disposé à croire en leur fameuse « inspiration ». C'est bien la première fois que pareille aventure m'arrive. Je devrais dire : pareil privilège ! et si c'est le fait de ceux qu'on nomme en littérature des génies, je leur dénie désormais tout mérite. Je ne me sens même pas fatigué d'avoir tant écrit. Il a fallu que je me contraigne pour interrompre ma tâche. Peut-être un « génie » l'eût-il poursuivie toute la nuit, hors du temps, jusqu'à ce que la plume lui tombât des mains. Pour moi, j'ai voulu absolument, avant d'aller dormir, consigner ici ce qui m'était arrivé. Demain, cela me paraîtra peut-être inconcevable ; ou peut-être m'y serai-je habitué — ce qui serait d'une belle ingratitude. Mais gratitude ou ingratitude envers qui ? Ou peut-être cela ne se reproduira-t-il ni demain ni jamais. Je souffre d'avance, à cette pensée, comme d'une mutilation.

Toutes ces pages, écrites dans la fièvre et la facilité, je m'avise que je ne les ai même pas relues, moi toujours attentif à le faire et toujours si *inquiet*. Je remets cela à demain et j'y pense comme un enfant à une fête : car je sais, de toute certitude, que je n'ai jamais rien écrit de plus... — de plus quoi ? Je cherche le mot. Ce n'est pas « parfait » qui convient, ce serait « ressemblant ». Rien de plus personnel, profond, et cependant inattendu. Comme si, pour la première fois, la nappe souterraine, à laquelle mon esprit n'a même pas accès de sa propre volonté, surgissait à la surface. Ce que j'ai écrit aujourd'hui, je sais déjà que demain j'en serai émerveillé mais nullement étonné. Inquiet, peut-être. Mais pourquoi ? L'œuvre compte, elle seule. S'exprimer, soi, soi l'unique, à n'importe quel prix. Si ce n'est pas la maxime de tout écrivain, son pacte avec lui-même, qu'il déchire ses papiers et qu'il brise sa plume !

*Mercredi.* — Les lecteurs de mon futur ouvrage, si je parviens à l'achever, ne se douteront jamais des vicissitudes que j'aurai connues en l'écrivant...

Hier, je me sentais pareil à un cycliste « en roue libre » et sans freins. Ce matin, j'ai relu mon travail. Ces pages sont les meilleures qui soient jamais sorties de mon cerveau. Et pourtant, je me suis senti doublement malheureux, à la fois humilié et inquiet. Humilié, car il me semblait que ce n'était pas vraiment moi qui en étais l'auteur ; et inquiet parce que je doutais pouvoir jamais retrouver cette maîtrise.

Je ne me trompais pas ! La matinée fut laborieuse, décevante. A aucun moment je ne ressentis l'envol qui m'avait emporté, la veille. Je me suis abstenu de relire les quelques feuilles que j'avais remplies à si grand-peine ; mais cette fois, c'était pour éviter d'être déçu.

Je suis sorti, laissant mes papiers en désordre et ma porte grande ouverte. Le jardin lui-même me paraissait sans charmes. Je poussai jusque chez mes voisins. Leur petite fille courut à ma rencontre.

— Tu resteras déjeuner avec nous ?

— Je n'ai pas très faim.

— Tu as l'air triste. Pourquoi ?

— Je n'arrive pas à réussir ma rédaction, dis-je en m'obligeant à sourire.

— Mais je peux t'aider ! Je suis toujours première en français.

Cette réponse si touchante m'attrista plutôt. C'est que je me faisais piteusement l'impression de n'être moi-même qu'un « premier en français », consciencieux, sans personnalité.

— Je n'aime pas te voir triste !

Elle prit mon visage entre ses mains, d'un geste de femme, et déposa un baiser au bas de ma joue, assez près des lèvres. J'en fus bizarrement troublé. Elle sentait le sommeil et le savon, comme les petits enfants. Une odeur tiède et blonde.

— Tes parents ne sont pas là ? (Elle leur disait « vous » et me tutoyait ; pourquoi m'en suis-je avisé à ce moment-là ?)

— Pas encore rentrés. Mais reste avec moi !

— Non, non, fis-je trop précipitamment. Il faut que je rentre travailler. Au revoir !

Je m'enfuis, comme si j'avais peur d'elle. C'était une attitude si déconcertante, si peu justifiée que je faillis retourner sur mes pas. Pourtant je n'en fis rien. Je l'entendis qui criait dans mon dos : « Tu reviendras ? »

— Oui, je reviendrai ; cela, du moins, je le savais.

Je regagnai, de méchante humeur, ce bureau de travail, hier paradis, enfer aujourd'hui. Je refermai la porte-fenêtre du jardin, bien décidé à ne pas me laisser distraire, à « m'appliquer », terme dérisoire...

Et voici qu'au contraire, à peine assis devant ma table, je retrouvai la *grâce* de la veille. Ou plutôt, elle me retrouva, fondit sur moi, m'enveloppa tout entier. De nouveau, cette facilité, cette fluidité ; de nouveau, l'esprit courant plus vite que la plume, et cette allégresse dont je ne savais pas si elle m'inondait de l'extérieur ou surgissait du fond de moi, cascade ou source.

A un moment, il me fallut bien m'arrêter : je n'y voyais plus rien. La nuit était tombée sans qu'à aucun moment j'eusse eu conscience du temps qui s'écoulait. Je n'avais rien mangé depuis le petit matin mais ne ressentais ni faim ni soif, sauf celle de poursuivre ma course. Je ne puis appeler autrement ces heures incomparables : ma course, mon vol...

Allumer la lampe, clore les volets, m'enfermer avec moi-même, avec cet inconnu débordant de trouvailles, d'images qui m'imposait, m'émerveillait. M'intimidait. Je me remis au travail — mais précisément c'était tout sauf un « travail ». Cet amas de pages (mon écriture elle-même m'apparaissait différente : penchée comme un voilier, entraînée par un vent invisible), cette pile de feuillets, au moment où le sommeil s'abattait sur moi, je posai sur elle un lourd presse-papier de bronze. Comme pour les empêcher de s'envoler durant la nuit ; comme si elles fussent vivantes, désireuses de prendre leurs distances par rapport à moi : comme si elles étaient mes ennemies...

*Jeudi.* — Mon histoire avance à grandes pages, mais pas du tout dans la direction que je m'étais fixée. Et tant mieux ! Lorsque je me remémore mon plan initial, il me semble tout à fait conventionnel. Je volais bas — tandis qu'à présent... Mais à présent je ne sais même pas où mon démon m'entraîne. J'ai à la fois peur et confiance. Je m'avance dans mon propre récit, non pas en aveugle, mais comme un homme qu'on hypnotise. Docilité ou renoncement ? *J'ai passé la main.* Cette expression populaire, je la comprends pour la première fois. Moi qui, de ma vie, ne m'étais montré superstitieux, je le deviens : je ne puis plus écrire une seule ligne si portes et fenêtres ne sont pas fermées avec soin (et je me lève pour aller le vérifier). Est-ce pour ne rien laisser entrer ? Ou ne laisser sortir « personne » ? Mes deux périodes de sécheresse, hier et aujourd'hui, sont survenues alors que j'avais laissé mon bureau de travail ouvert sur le jardin. Tout cela est absurde, apparemment. Il n'empêche que, ce matin même, après que je me fusse de nouveau calfeutré, la grâce d'écrire m'est revenue...

Vers le milieu de l'après-midi, je me suis révolté contre mon récit. Je ne voulais pas qu'il m'échappât, qu'il m'entraînât si loin de moi. Nous désirons secrètement que nos personnages nous ressemblent. Je ressentais, tristesse et fureur mêlées, ce qu'éprouvent des parents quand leurs enfants cessent de se conformer à eux. J'étais fier de mon histoire mais pas de moi, comprenez-vous ?

Afin d'affirmer ma préséance et ma paternité, je plantai donc mon travail en pleine action et résolus de rendre visite à mes voisins. Pourquoi ? — Pour rien. Pour bien marquer que rien ne pouvait se faire sans moi, que, malgré tout, je menais l'attelage ! Je sortis donc, fermai derrière moi la porte-fenêtre, traversai le jardin, m'enfonçai dans le bois et aperçus bientôt la tache rouge du toit, puis une tache bleu ciel qui semblait voleter derrière un voile de frondaison ; c'était la petite fille, mon amie.

— Comment marche ta rédaction ? me cria-t-elle dès qu'elle m'eût aperçu à son tour.

— Mieux, beaucoup mieux, mais je me donne une petite récréation.

— Alors, tu peux jouer avec moi ? Essaie de m'attraper !

Je me jetai à sa poursuite, à la poursuite de son rire. Etait-ce bien un jeu ? Pour elle, sans doute ; pour moi, je dus m'arrêter tant mon cœur battait.

— Tu es déjà fatigué ? Il est déjà fatigué, il est déjà fatigué, chantonna-t-elle.

Non pas fatigué, mais si triste soudain, si vieux. Il me semblait... Il me semblait que c'était mon enfance que je poursuivais ainsi en vain. Mon enfance et peut-être mon âme. Cette enfant était la grâce et moi la pesanteur. Il y avait entre nous un abîme infranchissable. Il y avait Dieu entre nous.

Lorsque je l'attrapai enfin, je l'enlevai entre mes bras, épuisée, hors de souffle, à bout de rires. Mes yeux se remplirent de larmes.

— Mais tu pleures !

— J'ai trop couru. C'est parce que j'ai trop couru.

Comment lui expliquer ce que moi-même ne comprenais pas ? Cette révélation, cette certitude d'avoir perdu ma vie, à jamais perdu toute grâce et toute gratuité ? J'avais choisi d'écrire, de ne plus vivre qu'en esprit. Cette petite fille à l'odeur d'enfant, aux gestes de femme, était plus vraie que tous les personnages que je créerais jamais. D'ailleurs, était-ce bien créer ? Et était-ce bien moi ? Ce détestable génie qui m'avait investi depuis quelques jours (mais que j'appelais à mon secours depuis tant d'années), quel prix fallait-il donc le payer ? Quel pacte implicite n'avais-je pas signé ? Comment se dédire à présent — et le voudrais-je seulement ? Non, j'étais incapable de renoncer à cette grâce-là, même au prix de l'autre, de celle qu'incarnait cette enfant. L'impudeur et l'impureté du récit que j'étais en train d'écrire (mais sous quelle dictée ?) me revinrent en mémoire et j'en éprouvai de la honte. L'enfant riait toujours ; elle se faisait lourde dans mes bras. La Vérité était là. C'était elle que je tenais si fort, mais pour un seul instant. J'aurais voulu qu'elle m'appartînt, qu'elle fût à moi seul — mon enfant, ma petite enfant !

— Mais pourquoi pleures-tu ?

Je la déposai sur l'herbe et m'enfuis en criant : « Je reviendrai... Je reviendrai... »

Je courus jusqu'à ma maison comme pour fuir mes propres pensées. Mes mains tremblaient ; j'eus bien du mal à enfoncer la clef dans la serrure (car j'avais clos à double tour derrière moi). Je m'enfermai de nouveau, me jetai à ma table de travail comme un naufragé sur un radeau et repris la ligne interrompue. Ou plutôt mon récit me reprit tout entier, cheval fou qui emporte son cavalier mort de peur et de honte loin de tout ce qu'il aime et le rassure — oh ! mon âme...

........................................................

Ces pages, je veux les brûler avant qu'ils n'arrivent. Mais non ! Peut-être les aideront-elles à comprendre. A comprendre ce que je ne m'explique pas moi-même ? Peut-être constitueront-elles ma seule défense devant mes juges. Mais je ne le veux pas. D'avance, j'accepte leur verdict ; d'avance, je récuse leur pardon. Le seul qui m'eût absous, elle ne peut plus me le donner. Oh ! mon enfant, mon âme, oh ! pardon... Puisque je n'ai pas eu le courage de me tuer aussitôt après, je veux me murer, m'enterrer dans le silence. Plus un mot ! pas une seule explication ! Je refuse les leurs, et la mienne est dérisoire. Qui la croirait ?... *Pourquoi, en retournant là-bas tout à l'heure, n'ai-je pas fermé la porte derrière moi ?* Et quand je m'en suis avisé, pourquoi ne suis-je pas retourné sur mes pas ? Je l'ai libéré. Il m'a suivi. C'est avec ses yeux que j'ai vu cette petite fille qui était la Grâce. Ce sont ses mains qui l'ont saisie, pas les miennes. Oh ! ce regard affolé, oh ! ces cris... Pourtant, c'est bien moi qui ai pris peur et voulu la faire taire à n'importe quel prix, à n'importe quel prix ! — Non, non, ce n'est pas moi : c'est lui, lui, LUI !

# LA PREMIÈRE MOUCHE DE L'ÉTÉ

La première mouche de l'été déplia ses ailes toutes neuves, puis les déploya. Elle sentit l'air monter le long de son corps et enrober son corset comme une eau tiède et elle se mit à bourdonner de bonheur.

— Attendez-moi ! Où allez-vous ?

Ses sœurs s'enfuyaient déjà, ivres de voler.

— Tu ne sens donc pas ?

Si ! Mille odeurs grisantes, sucrées — laquelle choisir ? Elle vit le vol incertain se rabattre vers le coin de mur où le jardinier entassait sa réserve de fumier. « Elles sont folles ! » Cette puissante odeur l'attirait, elle aussi, mais comme le vide attire celui qui souffre du vertige. Elle s'en détourna, se laissa porter, suivit le courant d'effluves qui la ravissaient et se posa sur l'extrême pétale d'une rose.

— Sors de là, fit une abeille qui s'affairait au cœur de la rose. Chacun son métier et chacun ses goûts, allez ouste !

Comme tous les enfants, la mouche nouvelle éprouvait une considération craintive pour les grandes personnes et pour les étrangers ; elle obéit et chercha refuge sur une fleur sans odeur mais dont les nuances l'enchantaient. Cette ville (le jardin) avec ses avenues, ses habitants ailés, rampants ou souterrains et ses monuments de couleurs et de parfums, quel paradis !

L'une de ses sœurs l'y rejoignit, non moins heureuse, soûle de purin :

130

— Nous avons découvert l'écurie, viens, c'est fantastique ! Qu'est-ce que tu fais là ?

— C'est si joli.

— Absolument fade, et il n'y a rien à manger.

— Toutes ces couleurs...

— Méfie-toi de tout ce qui n'est pas noir.

— Pourquoi ?

— Parce que c'est différent de nous autres.

« Justement ! pensa la mouche, c'est cela qui fait tout le plaisir du monde. »

— Et puis il ne fait pas bon rester seule.

— Pourquoi ?

— Les autres ne nous aiment pas.

« Comment sait-elle déjà tout cela ? » pensa encore la mouche — et elle murmura :

— C'est vous qui ne les aimez pas.

— J'ai découvert un autre endroit encore plus obscur, viens !

Elle suivit sa compagne à regret, quitta le soleil, le jardin embaumé, s'engouffra dans la demeure à sa suite et, de couloir en couloir, se glissa dans les cabinets par la porte entrouverte.

— Fameux, hein ?

Une douzaine de mouches, de tous les âges, tournoyaient au plafond.

— Mais...

— Ne t'inquiète pas, il y en a pour tout le monde. Prends ta place dans le manège et attends.

Elle obéit ; mais bientôt elle sentit un tournis nauséeux la gagner. Elle sortit du vol, se perdit dans des corridors, heureuse et angoissée de se retrouver seule. « Ne peut-on trouver la liberté qu'au prix de la solitude ? » Il est rare, rare et périlleux, qu'une mouche pense.

Elle fut surprise d'entendre bourdonner un essaim de ses compagnes en un lieu aussi blanc (la cuisine). Elles tournaient au-dessus d'un morceau de viande qui suait le sang, comme une escadrille sur une ville en flammes. De temps à autre, l'une d'elles bombardait en piqué. La mouche aperçut à l'écart, dans une assiette creuse, un lac de lait. Ce calme, cette pureté la fascinèrent ; elle se posa sur la rive et se mit à rêver. Lorsqu'on sait qu'à tout moment on peut s'envoler, quelle sécurité ! Comment peut-on être heureuse si l'on n'est pas une mouche ? Elle trempa une patte dans le lac blanc qui lui parut tiède et moelleux, lécha cette patte, la trouva sucrée.

Mais un ange furibond se mit à les chasser du paradis à grands moulinets de torchon :

— Sales bêtes ! Ah, voilà bien l'été qui commence...

« Ils ne nous aiment pas », se rappela la mouche. Cette ennemie était vêtue de blanc : « J'aurais dû me méfier d'elle. »

D'un vol zigzaguant comme la foudre (afin de déjouer les poursuites), elle repartit par de sombres couloirs. Elle vit une vieille femme en deuil peiner à gravir un escalier ; cela lui rendit la joie d'être mouche. D'un trait elle se trouva rendue à l'étage, hésita entre plusieurs portes entrebâillées, sentit la bonne odeur du lait mêlée à celle de la rose et n'hésita plus.

Dans cette chambre pénombreuse, tout lui parut exquis, les dessins sur les murs, les jouets de peluche étonnés, les piles de linge doux. « Comment peuvent-elles tourner sans fin au-dessus du fumier ou dans cette petite pièce puante alors qu'il en existe une autre, aussi colorée, aussi parfumée que le jardin, silence en plus ? »

Ce fut alors qu'elle aperçut la merveille.

Elle s'en approcha en évitant de faire du bruit avec ses ailes : au creux d'un immense nid sommeillait une toute petite créature. Les draps couleur du ciel se soulevaient à peine au rythme de son souffle tranquille. L'exquise odeur, qui emplissait la chambre et y avait attiré la mouche, émanait de ce petit être tiède. Pas un bruit... Si ! à la fin de chaque expiration, une infime plainte qui, bizarrement, n'exprimait qu'une joie paisible.

« Voilà, décida la mouche, je passerai ici toutes mes journées, car où pourrais-je me sentir plus heureuse ? Le soir, je descendrai faire un tour de jardin à l'heure où les abeilles ne s'y trouvent plus. Lorsque j'aurai faim, j'irai boire au bord du lac. Bien sûr, je vivrai seule, mais... »

A ce moment le ciel lui tomba sur la tête.

— Dors tranquille, mon bébé, murmura la vieille dame : je viens d'écraser cette vilaine bête.

Elle contempla l'enfant avec attendrissement. Elle était toute vêtue de noir ; on aurait dit une immense mouche.

# QUE JE TE REGARDE MIEUX,
## MON GRAND!

LA boulangère se retint d'ajouter : « Bien
blanche ! » Elle n'aurait su expliquer pourquoi cette
précision eût vexé le garçon, mais elle en était certaine.
*Le garçon ?* — allons, c'était un homme, à présent ;
mais il y avait si longtemps qu'elle le voyait entrer
chaque dimanche vers midi et demi (la même heure, le
même costume, et ce même air tout ensemble absent et
affairé), qu'elle conservait de lui l'image d'autrefois.
C'était il y a... Mon Dieu, que d'années déjà ! Il vint à
l'esprit de la boulangère qu'elle-même, sous le harnais
trompeur de la routine, avait, à son insu, changé à
l'égal du « garçon »...

— Bien blanche, ma baguette, précisa-t-il.

Elle demanda, par une sorte de jeu (car elle connaissait d'avance la réponse) :

— Et, pour monsieur, ce sera tout ?

— Non, répondit-il rituellement, je prendrai aussi
deux gâteaux à emporter.

— Paulette, si vous voulez servir monsieur.

« Tiens, voilà le type du dimanche matin, se dit
Paulette avec une certaine satisfaction. (Le retour des
mêmes visages, des mêmes mimiques, des mêmes
intonations, tout cela qui constitue le petit commerce,
la rassurait et l'angoissait à la fois.) Il va hésiter un
moment, puis demander un mille-feuille et un éclair au
chocolat, puis se raviser... Ce que les gens peuvent être
énervants ! »

— Vous me donnerez un mille-feuille et puis... voyons, un éclair. Non! une religieuse au chocolat. Merci, mademoiselle.

« Il ne m'a même pas regardée! se dit Paulette. Depuis combien d'années ne l'a-t-il pas fait? Mais regarde-t-il jamais quelqu'un? » Il entrait dans la définition que Paulette avait du métier, du monde, de la vie, que les clientes fussent exigeantes et grincheuses, mais les acheteurs gracieux à son égard. De plus en plus gracieux jusqu'au jour où ils entraient en vieillesse, d'un seul coup, le regard soudain étroit, le geste craintif, la face figée. Avant ce terme qui les chassait de l'univers Paulette, ils ne la quittaient pas des yeux, avec ce sourire nullement bonhomme mais qui ne lui déplaisait pas du tout. Elle se sentait observée d'eux tandis qu'elle se penchait sur l'étalage (au-dessus duquel volaient toujours quelques guêpes ivres), tandis que sa poitrine, si sûre quoique si libre, tendait un peu plus la blouse raide — et cela non plus ne déplaisait à personne. Mais le type du dimanche matin, lui, ne voyait jamais rien.

— Merci, mademoiselle.

« Je suis sûre qu'il ne connaît même pas mon prénom. Tout le quartier le sait, mais pas lui! »

— Pour monsieur, annonça-t-elle amèrement, cela fera 4,40.

Mais la boulangère avait déjà préparé la monnaie, comme chaque dimanche.

Il sortit de la boutique, le dos un peu rond, tenant d'une main le pain tiède et tendre, de l'autre, par sa ficelle fragile, le minuscule paquet en forme de pyramide. Un petit garçon le dépassa qui, lui, avait ébréché à pleines dents l'une des baguettes qu'il rapportait à la maison. L'homme taciturne l'observa comme l'eût fait un enfant sage : sans attendrissement mais non sans jalousie. Il s'arrêta un peu plus loin devant l'inventaire ambulant d'un marchand de fleurs.

— Tiens, bonjour monsieur! fit l'homme aux grosses mains. Déjà midi et demi?... Alors, je vous mets une botte d'anémones, comme d'habitude?

— Non, fit l'autre d'un ton contrarié, donnez-moi plutôt des...

Il parcourut du regard l'étalage ; une sorte de panique l'avait saisi : « Ces espèces de marguerites jaunes, peut-être... Mais combien coûtent-elles ?... Est-ce que maman les aimera ?... Je ne voudrais pourtant pas avoir l'air de... »

— Tous comptes faits, je... Oui, mettez-moi des anémones.

Il avait dès la boulangerie préparé la somme exacte ; le marchand prit les pièces, glissa entre ces mêmes doigts les fleurs hâtivement vêtues d'un papier transparent et, comme chaque dimanche, dit bonnement : « A dimanche prochain ! » Il était moins délicat que la boulangère.

L'homme au dos rond poursuivit son chemin et pénétra dans un vieil immeuble avec l'assurance un peu brusque des aveugles. Il compta machinalement les marches : vingt-sept jusqu'au premier palier. Il avait huit ou neuf ans lorsqu'il s'était avisé de leur nombre et, depuis, il n'avait jamais gravi cet étage sans que le mécanisme stupide se mît en marche. Vingt-cinq... Vingt-six... Vingt-sept... Sa main trouva les clefs (la grande et ses deux sœurs cadettes) qui pendaient à la serrure, et ses doigts les manœuvrèrent sans que l'esprit s'en mêlât ni même s'en aperçût.

— C'est toi, mon grand ?

— Oui, maman.

Le pain sur la table, les gâteaux sur la desserte, et les anémones dans le vase bleu. Merci, mon grand.

Le vase attendait, rempli d'eau fraîche, comme chaque dimanche. « Si j'avais choisi d'autres fleurs, elle aurait été contrariée », pensa-t-il. La grosse femme, que ses jambes trahissaient à présent, n'avait pas quitté ce fauteuil qui, depuis le temps, était moulé à ses formes. A portée de la main gauche, ses deux cannes ; à portée de l'autre, le voilage de la fenêtre, dont le pli accusait sa curiosité.

— M<sup>me</sup> Crépin doit être malade : je ne l'ai pas vue passer pour la messe...

C'était la nouvelle du jour ; le fils sut qu'il n'y en aurait pas d'autres et il en fut très soulagé. Le reste de la conversation proviendrait des journaux et des émissions que l'un ou l'autre avait lus ou entendues durant la semaine : des événements, Dieu merci, dépassés, des opinions ressassées, une véhémence refroidie...

Il embrassa sa mère sur le front, sans la regarder ; il retrouvait, en l'approchant, cette odeur qui, de proche en proche, avait imprégné le logement tout entier — l'odeur même de la sécurité. Sa chambre à lui, de l'autre côté du fleuve, ne sentait rien de tel, ne sentait rien du tout. Après tant d'années, il s'y trouvait encore mal à l'aise, comme dans un costume neuf. Ah ! pourquoi avait-il quitté l'appartement de sa mère, de sa jeunesse, de sa naissance ? Si fier de gagner sa vie, il s'était en quelques mois constitué sa panoplie d'homme seul, d'homme libre : une chambre, une batterie de cuisine, un vélomoteur... « Mais je viendrai déjeuner tous les dimanches. — Comme tu voudras, mon grand ! » Elle lui manquait chaque jour de la semaine — pas tellement sa mère que *l'odeur,* la sécurité. Heureusement, les semaines passaient vite, de plus en plus vite, semblait-il. D'ailleurs, il était toujours en avance d'un geste sur sa vie (c'était sa marge de sécurité) : se levait un instant avant que sonnât le réveil, arrivait au bureau avant les autres... Toujours savoir ce qu'on va faire l'instant suivant, n'était-ce pas finalement la seule assurance sensible qu'on ait de vivre ? « Il y a une lettre pour vous, monsieur Robert ! » Son cœur se serrait, il bafouillait un semble-merci à l'adresse de la concierge et n'ouvrait pas la lettre : plus tard ! au bureau, avec tout ce courrier qui ne le concernait pas vraiment... La vie venait de prendre traîtreusement un pas d'avance sur lui. A défaut de n'avoir pas reçu cette lettre, il aurait voulu en connaître déjà le contenu — et pourtant il ne se décidait pas à en prendre connaissance.

— J'ai reçu une lettre, cette semaine.

— Ah ! dirait sa mère en sourcillant, du mauvais ?

Pour elle aussi, depuis la mort de son mari, l'inattendu était toujours redoutable.

Au bureau les autres se plaignaient sans cesse : du temps, de leur salaire (de celui des autres, surtout), de l'ennui... Mais l'ennui, c'était comme le temps : qu'y pouvait-on ? La vie était-elle autre chose qu'un « ennui de saison » avec, parfois, des orages inattendus, imparables, irréparables ? C'est pourquoi mieux valait marcher le dos rond : ceux qui se tiennent trop droit attirent la foudre.

La grande affaire avait été de se constituer un emploi du temps pour le samedi, jour angoissant, jour sans devoirs. Il ne remontait pas son réveil mais se levait à la même heure. Qu'est-ce que vous voulez faire au lit ? On ne peut pas, hélas, s'empêcher de rêver ; mais de rêver éveillé, Dieu merci, on le peut. Il changeait de lame de rasoir (chacune faisait la semaine, vaille que vaille), de chemise, de costume, de chaussures — mais, sous ce harnais, c'était le même bonhomme. Il descendait faire son marché ; comme la boulangère du dimanche, les commerçants du samedi connaissaient d'avance sa commande, quelles que fussent ses feintes hésitations.

Le cabas, à la fin, pesait toujours le même poids ; et le réfrigérateur (qui faisait partie de la panoplie d'origine) se garnissait d'un coup pour la semaine. Le soir, il regardait la télévision ; ou plutôt il en laissait couler les images comme la pluie : forte ou faible, quand on est à l'abri d'un bon imperméable, qu'est-ce que cela peut faire ? La guerre au loin, des catastrophes ailleurs, la hargne politique de part et d'autre d'une table — tout cela après un bref remuement noir et blanc resterait enfermé dans cette caisse redoutable, seul ustensile de sa panoplie qui lui posât un problème. Les émissions terminées, ouf ! il retirait son scaphandre. Parfois, il s'en voulait de regarder le programme jusqu'au bout : « Rien ne m'y oblige... » — Si ! les questions que lui poserait sa mère dimanche prochain, elle dont le seul petit écran était le carreau de sa fenêtre. (« Je l'ai

regardée une fois, votre télévision, chez M^me Crépin :
cela m'a fait mal aux yeux ! ») Et puis comment remplir
sans elle ce vide redoutable entre le dîner et le
sommeil ? N'est-ce pas l'heure où l'on risque de se
poser des questions ? Et puis la télévision constituait,
pour lui comme pour des millions d'humains, le maître-
exorcisme : tout ce qui y advenait aux autres, « pour de
vrai » ou par l'imagination des auteurs de fiction, tout
cela qui, sans doute, *devait arriver* un jour à quelqu'un
— eh bien, ce n'était pas à lui ! Pas ce soir, en tout cas !
Jamais peut-être, avec un peu de chance et le dos
rond...

La grosse dame laissa retomber le voilage et se
rencogna avec une satisfaction d'araignée dans ce
fauteuil qui était devenu comme un second époux pour
elle. Elle venait d'apercevoir, à l'heure dite, son fils
portant ses trois paquets et marchant d'un pas égal vers
le vieil immeuble. « A l'heure dite »... Son esprit (et
peut-être son cœur) était devenu une sorte de montre.
Que demande-t-on à une montre ? D'aller de soi,
silencieusement, sans jamais poser de problèmes. On
finit ainsi par penser qu'elle fonctionnera toujours ; un
matin, on la trouve arrêtée, morte, sans raison apparente.

La vie de la grosse dame s'était progressivement
réduite aux rumeurs de l'immeuble. Depuis sa chute
dans l'escalier, elle ne sortait plus ; depuis sa bronchite
de l'autre automne, elle n'ouvrait plus guère ses
fenêtres. « Tiens, voici la concierge qui monte faire le
ménage au troisième... Tiens, les petits du quatrième
partent à l'école... L'aîné d'abord, et l'autre va crier :
Attends-moi !... » Lorsque des pas inattendus ébran-
laient l'escalier, elle s'immobilisait au creux de son
fauteuil comme un animal débusqué. « Pourvu qu'*il* ne
s'arrête pas sur mon palier ! » C'étaient les rares
instants où elle entendait son cœur battre. Ouf! *il*
repartait ; la montre retrouvait son silence.

M^me Crépin passait la voir chaque matin.

— Et aujourd'hui, qu'est-ce que je vais vous prendre ?

— Je me demandais si une petite cervelle d'agneau... Et quelques haricots verts : la radio annonce qu'ils ont baissé...

— Oh ! la radio, vous savez ! Elle prévoyait bien qu'il pleuvrait ce matin...

Elle annonçait aussi toutes sortes de drames et de bonheurs survenus un peu partout dans le monde ; mais les deux vieilles, l'ingambe et l'autre, ne filtraient de ce flot de nouvelles que leur nourriture avare. Le gros « poste » (il datait d'avant-guerre) jouait à Dieu le père dans cet appartement confiné, calfeutré : il créait la vie, remplissait l'espace. Parmi toutes ces voix éparses, la « chère auditrice » s'était constitué son système solaire. Celle qui prévoyait la météorologie, celle qui donnait le barème des prix, celle qui présentait, trop rarement, des chansons d'autrefois — toutes, elle les appelait (elle était peut-être la seule à les appeler encore), des speakers et des speakerines. Lorsqu'elle entendait une nouvelle singulière ou quelque trait illustrant ce qu'elle nommait la méchanceté des gens : « Il faudra que je le dise dimanche à Bernard », pensait-elle.

Lui-même, en montant l'escalier (Vingt-deux... Vingt-trois... Vingt-quatre...) se remémorait tout ce qu'il avait engrangé au long de la semaine devant le petit écran. « Tiens, mardi... mardi ou mercredi, je ne sais plus ! Tu ne devineras jamais ce qu'ils nous ont montré... »

Cet échange, accompagné de haussements d'épaules, de quelques « Quelle époque ! » ou « Les gens sont fous », allait accompagner tout le déjeuner. Son menu était invariable : les plats dont la grosse dame avait décidé qu'ils étaient les préférés de son fils — de sorte qu'ils l'étaient devenus. Ils étaient liés pour lui à cette sécurité du dimanche dont les effluves l'avaient investi dès qu'il avait ouvert la porte aux clefs pendantes : la senteur de l'appartement mêlée aux odeurs des plats traditionnels... De dimanche en dimanche, elle traversait les saisons et les événements comme un navire tranquille s'avance dans la brume. La brume, c'était la chambre sur l'autre rive, le bureau et ses comparses, la ville, le monde entier. Une semaine entière de brume...

Après la cérémonie du café — face à face, de part et d'autre de la fenêtre — ils goûteraient un moment exquis. La rue était déserte et l'immeuble entier digérait. Un silence tel qu'on parvenait à entendre, à deux pièces de distance, la pendulette de la chambre.

Et voici que, ce dimanche-là, le soleil (« La radio avait pourtant dit... ») voici que le soleil traversa les carreaux et le voilage et s'en vint éclairer Bernard en plein visage. Il aurait bien aimé changer de place, mais le rituel s'y opposait.

La grosse dame regarda ce visage, le seul au monde envers qui elle se sentît liée, avec l'attention toute neuve que l'on porte au décor violemment éclairé lorsque le rideau se lève. Soudain, elle se pencha en avant :

— Que je te regarde mieux, mon grand !

— Mais, maman...

A son tour, docilement, il se pencha vers elle ; ils ressemblèrent, un instant durant, à deux chiens prêts à se battre. « C'est bien cela, constata-t-elle, un cil blanc dans son sourcil, là... Le premier, le seul, Dieu merci... Un cil blanc ! à son âge !... Mais, au fait, cela lui fera... Quoi ? (Elle refit ce calcul si simple.) Quarante-trois ans en juillet, Bernard ? Ce n'est pas possible... »

D'un coup le temps devint son ennemi — ce qu'il est pour chacun depuis sa naissance. Et son ambassadeur le plus fourbe : Bernard ; et le signe qui venait de le trahir : la minuscule traînée blanche au-dessus de cet œil étonné. Etonné de la voir changer de visage.

— Mais, maman, qu'est-ce que tu as ?

« J'ai bonne vue, voilà ce que j'ai ! pensa-t-elle. Mauvais pied mais bon œil ! je ne me laisserai pas vieillir par surprise, moi ! Mais toi, mon pauvre benêt, tu ne t'es aperçu de rien, naturellement... »

— Est-ce que tu te regardes quelquefois au miroir ?

— Euh... oui... non : pour quoi faire ? Quand je me

rase, chaque matin, j'y suis bien obligé. Mais pourquoi me demandes-tu ça, maman ?

— Pour rien. Continue ton histoire de télévision, mon grand.

Il continua, avec encore moins de plaisir, encore plus d'application. Mais l'esprit de sa mère allait plus vite que le récit. Soudain, elle parut s'impatienter.

— Bon. Et les autres soirs, qu'est-ce que tu as fait ?

— Mais comme d'habitude, maman.

— Rien ?

— Enfin, la télévision, le journal que je n'ai pas le temps de lire avant le soir, le... Je ne sais pas, moi !

— C'est ce que je disais : rien ! Alors, pour toi, le lundi soir, le mardi, le mercredi, n'importe quel soir, c'est la même chose ?

— A peu près.

— Et la vie, Bernard ?

— Comment ça, la vie ?

— Tu crois que c'est cela, vivre ? Tu crois que les autres font comme toi, peut-être ?

— Oh ! les gens, tu sais, maman...

— « Les gens », comme tu dis (mais c'était elle qui le lui avait appris) ont compris, eux, que quand on laisse couler les semaines, les mois, les années comme tu le fais, on s'aperçoit, un jour, qu'on n'a pas vécu. Tu es inconscient, mon pauvre Bernard !

— Mais, maman, dit-il résolument, je suis heureux.

— Heureux ! *Comment peux-tu le savoir ?*

— Nous sommes heureux, reprit-il d'une voix moins assurée, et il ajouta presque timidement : N'est-ce pas, maman ?

— Heureuse, moi ? Seule, immobilisée, sans visites, sans distractions ? Je me demande s'il t'est jamais arrivé de te mettre à la place des autres, mon pauvre grand !

Mais il en était resté au mot « distractions » : c'était la première fois, il l'aurait juré, qu'il entendait sa mère le prononcer.

— Des distractions, répéta-t-il avec hésitation comme s'il se fût agi d'un vocable étranger. Mais, maman, hasarda-t-il avec gaucherie, si tu le veux, je peux venir plus souvent.

Il s'en voulait d'avoir décidé naguère de ne venir que le dimanche. A la pensée qu'il s'était si longtemps privé du réconfort de respirer plusieurs fois par semaine la bonne odeur de sécurité, il se sentait rempli de regrets ; de remords aussi envers sa mère — mais il vit qu'elle ricanait.

— Je te parle de distractions et voilà ce que tu trouves ! D'ailleurs, c'était à toi que je pensais, pas à moi. Si tu t'occupais un peu plus des autres, tu l'aurais compris.

— Mais enfin, protesta-t-il, c'est toi qui m'as toujours mis en garde contre les gens ! D'ailleurs, je ne tiens pas du tout à ce qu'ils s'occupent de moi.

— Très bien ! mais si tes chefs, au bureau, ne font pas attention à toi, tu végéteras, ta carrière entière, dans le même poste.

— Je gagne ma vie, maman !

— *Ta* vie, *ta* vie ! Si tout le monde raisonnait ainsi, « chacun pour soi », il serait joli, le monde ! Une fourmilière ! Et puis réfléchis un peu qu'un jour ce ne sera plus « ta vie » mais celle de ta famille qu'il s'agira de gagner.

— J'ai bien le temps, répondit-il machinalement. (C'était ce que lui répétait sa mère lorsqu'il parlait de mariage, autrefois.)

— Justement, non !

« Mais que regarde-t-elle donc ainsi fixement ? » — C'était le cil blanc ; elle le détestait. Elle les *craignait*, ce cil blanc et, de poche en poche, ce visage docile, ce dos rond, ce personnage immobile comme un mort. Elle avait beau se répéter : « Mais enfin, c'est ton enfant, ton fils unique ! » — tout cela lui paraissait *conventionnel*. Comme sa vie entière, d'ailleurs : sa vie perdue, elle s'en avisait tout d'un coup. Perdue à cause de son défunt, dont Bernard était le portrait, et qui se vantait (mais ne s'en montrait-elle pas assez fière elle-même ?) de l'avoir « façonnée », c'était son mot. Elle se souvint, comme d'une étrangère, de la jeune fille qu'elle était lorsqu'elle l'avait connu. Comme d'une étrangère et comme d'une princesse. Sa mémoire infidèle devenait pure imagination : enjolivait ce qui avait été, sublimait indûment ce qui aurait pu être. « Il m'a *gâchée* », pensa-t-elle soudain. Ce mot la blessait, mais l'enchantait. « Il », c'était son mari ; mais, la ressemblance aidant, cela devenait son fils, ce témoin irrécusable, ce complice inconscient d'un temps qui la tuait. La tuait comme certaines araignées, leur victime : en lui instillant goutte à goutte leur venin, en l'insensibilisant. Oui, c'était ainsi que procédait le temps, que procédait Bernard, semaine après semaine. Mais que répétait-il donc depuis un moment et qu'elle entendait sans l'écouter ?

— « Justement non », qu'est-ce que tu veux dire par là, maman ?

— Comment ça, « Justement non » ?

« Elle vieillit beaucoup », pensa-t-il avec une sorte de panique. Pourtant, il reprit patiemment :

— Tu parlais de... de mariage ; je t'ai répondu : « J'ai bien le temps » ; alors tu as dit : « Justement, non ! »

— Eh bien non, tu n'as pas le temps ! Personne n'a le temps. C'est un piège terrible, évident — mais on dirait que tu ne t'aperçois de rien.

— Un piège ?

— Ta petite chambre, ton petit emploi, ta petite semaine... (Elle n'ose pas ajouter : « Tes petits dimanches. ») Comment veux-tu, dans ces conditions, faire des rencontres, changer de vie ?

— Mais pourquoi changer de vie ? demanda-t-il avec ce qu'il pensait être un sourire.

— Ne fais pas cette grimace ! Pourquoi changer de vie ? Mais pour sortir de la médiocrité, de la solitude où tu t'enlises.

— Mais tu es là, maman ! (Son cœur s'était mis à battre.)

— Je n'y serai pas toujours, répondit-elle avec une expression de rancune comme si ce fût sa faute, la faute de ce cil blanc presque indiscernable, mais le premier.

— Tu me fais de la peine, maman.

— Il est bien temps !

Cela ne voulait rien dire ; pourtant ces mots ravivè-
rent en lui toutes sortes de vieux remords imprécis. S'il
eût suivi son impulsion, il se fût jeté à ses genoux.
« Non, je serais ridicule ! » — Il le devint alors, avec ce
geste étriqué des deux bras.

— Maman, je te demande pardon !

— De quoi ? demanda-t-elle brusquement. (Elle
n'en voulait qu'à lui de cette confusion qui venait
d'apporter un peu de couleur à ses joues.) Tu dis
n'importe quoi, Bernard ! Tu m'énerves...

Il eut un sursaut de dignité et se leva.

— Si je t'énerve...

— C'est ça, laisse-moi seule, va ! J'ai l'habitude...

— Mais je ne veux pas te quitter, maman !

— Tu le devrais, fit-elle amèrement. Tu le devrais si
tu avais une once d'instinct de conservation. Tu
devrais... Je ne sais pas moi ! Aller au cinéma, avoir des
rendez-vous avec des amis pour dîner...

— J'aime mieux être ici.

Elle l'observa d'un œil perçant.

— Pas tellement être avec moi qu'être *ici*, hein ? Ici
où tu as toujours été, où tu es né, où tu te sens en
sûreté : à l'abri de la vie, c'est bien ça ?

— Peut-être, balbutia-t-il.

— Et tu l'avoues ! Et cela ne t'inquiète même pas !
(Il secoua la tête ; mais *cela* commençait à l'inquiéter, il
n'aurait su dire pourquoi.) Allons, reprit-elle en saisis-
sant sa canne comme pour se lever, il faut que ça
change. C'est pour toi que je parle, Bernard, dans ton
seul intérêt !

Elle mentait : un instinct obscur lui soufflait de
l'éloigner. Le temps de reprendre son souffle, de
dresser le bilan d'une vie perdue et, comme le disait
stupidement son mari en toute occasion, « d'aviser ».
Et encore : « Il faut que je me reprenne en main... Oui,
que je me reprenne en main... » Cela ne voulait rien
dire mais lui rendait confiance en elle. Il fallait seulement éloigner, pour un temps, ce personnage immo-

bile, inamovible, détacher d'elle cette pierre qui l'entraînait au fond.

— Dimanche prochain, tu ne viendras pas.

— Mais...

Son univers s'écroulait, de proche en proche, comme un château de cartes. Avec le dimanche à venir, c'était, jour après jour, la semaine entière qui s'évanouissait.

— Tu t'arrangeras pour organiser ta journée. Les distractions ne manquent pas! Tu te feras inviter à la campagne par des amis. As-tu seulement des amis?... Alors, lie-toi avec des collègues. Cesse de te terrer comme un ours, de vieillir avant l'âge... Allons, va! (Elle brandissait sa canne comme une arme.) Je t'enverrai un mot. Et, quand tu reviendras, j'espère que tu auras enfin des choses à me raconter...

— Je peux tout de même t'embrasser, maman? demanda-t-il d'une voix enrouée.

— *Si tu veux.*

Il se pencha, très vite car ses yeux s'étaient remplis de larmes. Il embrassa ce front qui lui parut très froid, respira cette odeur qui, soudain, lui serrait le cœur : dont il pressentait pour la première fois qu'elle était seulement celle de la vieillesse, de la mort. Il sortit en se retenant de respirer.

M$^{me}$ Crépin entrebâilla la porte du palier.

— Je peux entrer? Je n'ai pas pu aller à la messe, ce matin, parce que... Mais je ne vous dérange pas? Votre fils est déjà parti?

Elle entendit une rumeur étouffée qui l'inquiéta. En un éclair elle songea : « Si c'était une crise cardiaque, qu'est-ce que je pourrai faire? Trouver un médecin le dimanche! Appeler la police? Mais en téléphonant d'où? »

Elle ouvrit la porte et vit la grosse femme affaissée sur elle-même, le visage caché dans ses mains, les épaules secouées.

— Mais... mais qu'est-ce qui se passe, ma pauvre amie?

— Allez-vous-en!

— Vous laisser dans cet état ? Sûrement pas !

L'une des mains blanches se détacha, révélant un visage barbouillé de larmes comme celui d'un enfant, et chercha à tâtons sur le vieux tapis une canne dont menacer la voisine.

— Allez-vous-en !

— Mais, fit l'autre effarée, vous êtes souffrante ? Vous êtes malade ?

La vieille femme se leva — comme elle paraissait grande ! Grande comme une façade aveugle et qui va s'écrouler.

— Malade ? Non, cria-t-elle, je suis morte !

# UN FEU D'ARRIÈRE-SAISON

Il alla chercher trois bûches dans la réserve, sous l'escalier extérieur. Les rondins y remplissaient tout l'espace disponible : « De quoi alimenter le feu pour plus d'hivers qu'il ne m'en reste ! » avait-il pensé un jour et, depuis, son esprit ne pouvait s'empêcher d'y revenir chaque fois qu'il s'approvisionnait à la réserve. Cela le frappa soudain : que son univers mental n'était plus composé de pensées mais de *redites*. Une idée pour chaque circonstance, mais toujours la même ; une sorte de bibliothèque dont le catalogue ne se renouvelait jamais — et à quoi bon, puisqu'il n'y avait plus de place ? Pas plus que dans la réserve aux bûches... « Tels sont les effets de la solitude », se dit-il encore, mais il se trompait : c'étaient ceux de la *satisfaction*. Non qu'il fût médiocre ou vaniteux, mais, tout au long de sa vie, il s'était satisfait à trop bon compte. Pareil à ces voitures dont on dit qu'elles possèdent « une réserve de puissance », il avait, en tout domaine, conservé une sorte de disponibilité, ne poussant à bout ni ses études, ni ses travaux, ni sa vie de famille, ni même ses pensées. Et l'âge avait, une à une, scellé ces sources inutiles. Il se retrouvait, à l'heure des cheveux gris, seul mais n'ayant besoin de personne, ayant vu tout ce qu'il voulait voir, lu tout ce qu'il devait lire, aménagé au mieux sa maison de jeunesse et son emploi du temps de retraite : une vie aussi pleine que la réserve de bois — aussi sèche aussi.

Il ajouta une bûche dans l'âtre et le feu repartit. Trois

fois reconstruite, cette cheminée! Jusqu'à ce qu'elle tirât parfaitement... Cette perfection dans les moindres détails lui semblait, comme l'ordre et l'exactitude, l'image et la garantie du bonheur. Il se laissa tomber dans son fauteuil (qui se trouvait juste à bonne distance du feu) avec la pesanteur heureuse du devoir accompli, de la journée bien remplie. « Quel devoir ? Quelle journée ? » La question ne fit qu'effleurer son esprit. Heureusement ! car elle eût, de proche en proche entraîné cette autre : Quelle vie ?... — C'était l'un des vers qu'il aimait à réciter tout haut : « Oui, qu'as-tu fait, toi que voilà, de ta jeunesse ? » Cela restait pour lui une citation et il n'en tirait qu'une nostalgie toute littéraire. Mais cette fois, devant le feu (il était 6 heures, en automne), il frôla dangereusement le « qu'as-tu fait, toi, *de ta vie ?* ».

Comme il demeurait là, sans mouvement, fasciné par la flamme jamais tout à fait pareille et à demi endormi par ce ronronnement si régulier, il lui parvint une odeur insolite. Allons bon, la cheminée se remettait donc à fumer ? Pourtant, c'était une autre senteur, moins apprivoisée, à la fois plus amère et plus douce que celle d'un feu de bois. Il ferma les yeux ; ce geste si menu suffit à l'isoler de tout, à l'emprisonner en lui-même. Mais on ne peut se retenir de respirer ; et même, à son insu, son souffle s'était fait haletant à la manière de celui des moribonds. Et, comme ceux-ci tentent en vain de retenir l'air de la terre qui va leur manquer, on eût dit qu'il cherchait à faire provision de cet effluve si léger.

Il se retrouva debout presque sans l'avoir voulu : debout, le visage éclairé d'un sourire qu'il ne soupçonnait pas, et les bras étendus devant lui comme un aveugle. Quand il rouvrait les yeux, il lui semblait qu'il trahissait cette senteur sauvage : la distinguait moins bien de l'air environnant. C'est pourquoi il se mit en marche comme le font les enfants qui précisément « jouent à l'aveugle » : les yeux alternativement ouverts et fermés, ou plutôt ne soulevant ses paupières qu'au moment de perdre son chemin ou de heurter un obstacle imaginaire. Comme on remonte une rivière, il suivait vers sa source le cours de cette odeur étrange. Elle l'attirait à la manière des sortilèges dans les contes. Si l'Automne était un pays (mais n'en est-ce pas un ?), elle en eût été l'ambassadrice. Si le Regret, si le Temps perdu... Elle retournait chez elle, cette senteur, entraînant un otage enchanté. La marée se retirait, ne laissant derrière elle qu'un désert sans vie.

Il avança donc, pas à pas, sur ce chemin de fumée, sortit de son jardin, prit une route qu'il connaissait bien, longea la forêt. L'odeur se précisait à mesure, devenait plus *épaisse,* plus sûre d'elle — et lui, de plus en plus faible, au contraire, poreux, transparent. Un dernier arbre, qu'octobre revêtait d'écarlate et d'or avant que novembre le condamnât, se tenait en sentinelle devant le champ, la maison basse et ce feu d'herbes dont la fumée bleue était venue le chercher jusque chez lui. Il vit aussi, mais il s'y attendait, une femme aux gestes lents. D'un râteau prudent, elle attisait le brasier qui, chaque fois, crépitait un instant puis retrouvait sa consumation paresseuse — comme un cheval fait, sous le fouet, un petit temps de trot avant de reprendre le pas.

Quand, du geste de ses vingt ans — oui, le même exactement — elle eut fait glisser, doigts et cheveux mêlés, une mèche grise par-dessus son oreille, il ne put s'empêcher de l'appeler.

— Marie !

— Vous étiez là ? demanda-t-elle, sans surprise, en se tournant vers lui.

Il la voyait à travers le brouillard bleu : la même silhouette (oui, la même exactement), que tant d'années plus tôt.

— J'arrive seulement. C'est la fumée qui m'a conduit jusqu'ici.

— Vous arrivez seulement, répéta-t-elle avec un sourire triste.

Il y eut un silence, assez doux à l'une, insupportable à l'autre.

— Cette fois, dit-il pour le rompre, c'est bien l'automne, Marie.

Il comprit aussitôt que cette parole-là, volontairement si banale, était aussi à double entente et qu'il en serait ainsi de toutes celles qu'il prononcerait. C'est le propre des instants de vérité, il fallait s'y soumettre ou partir ; il resta. La pensée de retrouver son feu à lui, sa réserve de bois, sa maison si parfaite, lui faisait la bouche toute sèche — à moins que ce ne fût cette fumée. Pourtant, il savait déjà qu'il n'avancerait plus d'un seul pas vers ce feu-ci, vers cette maison basse.

— Comment allez-vous, Marie ?

C'est la question la plus banale ; mais, posée sur un certain ton, la plus poignante aussi.

— A notre âge, on va chaque jour un peu moins bien que la veille, mais sans le savoir... La vraie question serait : *où* allez-vous ?

— Eh bien, nulle part, poursuivit-elle d'une voix altérée : je suis arrivée, nous sommes arrivés.

Cette fois, il osa franchir la frontière.

— Sommes-nous jamais partis, Marie ? J'ai parfois l'impression que...

— Non, interrompit-elle avec une ombre de dureté ; *ce soir*, vous avez cette impression. A cause de l'automne et d'un feu de feuilles mortes... Quels infirmes nous sommes !

— « Les feuilles mortes se ramassent à la pelle », cita-t-il, sans doute pour ne pas avoir à répondre.

C'était une chanson de leur jeunesse, et chacun d'eux sut que l'autre enchaînait mentalement : « ... les souvenirs aussi ! » Elle mania le râteau ; le feu crépita de nouveau, insecte vorace, et la fumée redoubla. Marie n'était plus, derrière le rideau bleu, qu'un fantôme incertain. Il est plus facile de s'adresser à un fantôme.

— C'est moi qui aurais dû parler le premier, bien sûr ! Je ne comprends pas. Je ne comprends rien au garçon que j'étais.

— Mais si, poursuivit-elle en alimentant le feu (il ne fallait surtout pas que le brouillard s'atténuât), à cet âge-là on croit que le temps s'arrête pour vous, qu'on peut attendre impunément. Le monde entier vous appartient — aux garçons, du moins ! Oui, c'est ce qu'ils croient : tous les chemins ouverts, tous les choix possibles... Alors, demain, pourquoi pas attendre demain ?

— Mais vous-même, Marie...

— Je me rappelle très bien au contraire, la fille que j'étais. On ne parlait jamais la première, en ce temps-là, rappelez-vous ? Nous aussi, nous pensions que le temps attendrait à la porte. Mais nous nous en réveillons plus tôt que vous avec une sorte de panique... Nous autres avons très tôt partie liée avec... avec les choses vraies, vous savez !

— Vous auriez dû...

— Vous étiez loin, coupa-t-elle, et, de toute façon, vous ne m'auriez pas écoutée.

(Elle parlait pour deux : elle avait si souvent poursuivi ce dialogue désolant.)

— Vous ne m'auriez pas écoutée. Quand le temps rejoint enfin les garçons, il est presque toujours trop tard. Je veux dire : trop tard pour le bonheur. D'ailleurs, c'est un mot qu'ils détestent, une sorte de prison à leurs yeux. Leur mot de passe à eux, c'est « aventure » — et celui-là est notre ennemi.

— Marie, je n'ai jamais accepté mon âge, voilà le mal.

— Le malentendu, rectifia-t-elle à mi-voix.

— Même aujourd'hui, il me semble, certains jours, que j'ai dix-huit ans. (« Aujourd'hui, par exemple », pensa-t-elle.) C'est ridicule, non ?

— Non, c'est tragique. Tandis que nous, moi du moins, à dix-huit ans je savais déjà que j'aurais un jour cet âge-ci.

— Cela passe trop vite, Marie !

Il avait crié ; elle attendit que son cœur se calmât avant de répondre.

— Non, lentement, horriblement lentement... Ah ! et puis qu'est-ce que cela change ? Trop vite ou non, c'est passé, voilà tout. Il s'agit de ne pas vieillir à reculons.

152

— Il faut tout de même rester fidèles à...

— A des fantômes ?

— Marie, s'obligea-t-il à dire (car l'ancienne panique l'avait rejoint), Marie, il est peut-être encore temps... Regardez les arbres, ajouta-t-il très vite comme pour l'empêcher de répondre aussitôt : c'est à cette saison-ci qu'on les greffe !

— Parce qu'ils ont un printemps qui les attend derrière leur hiver. Pas nous.

Il pressentit que si, à cet instant, il avait franchi le rempart de brume, pris Marie dans ses bras... Mais il eût fallu croire encore avoir dix-huit ans ; or, il se voyait soudain tel qu'il était. Le temps se vengeait à son heure. Il ne se demanda pas de quels yeux Marie, elle, le voyait. Sous le nom de dignité, de lucidité, sous toutes sortes de noms flatteurs, l'orgueil l'emportait, comme toujours. Il demeura donc sans mouvement — sans ce mouvement qu'elle attendait, qu'elle avait attendu jour après jour depuis tant d'années.

Elle ressentit presque physiquement le moment précis où le temps, son ennemi, l'emportait définitivement. Où leur destin allait se figer : un veuf, une vieille fille... Ils entraient dans des catégories pour toujours. Elle se mit à ratisser avec une sorte de fureur, avec des gestes d'homme, sans charme, sans sexe désormais, l'un et l'autre... Il crut la voir sourire ; était-ce la fumée qui faisait trembler ce sourire comme elle rendait de plus en plus imprécise la silhouette entière ?

— Pourquoi souriez-vous, Marie ?

— Je pense (mais cette pensée la mettait au bord des larmes) que si le vent avait soufflé dans une autre direction, la fumée de ce feu ne vous aurait pas trouvé. Vous ne seriez pas venu...

Elle essayait de croire que cela n'aurait rien changé. Rien changé du tout. Rien du tout. Mais qu'il s'en aille, à présent, qu'il s'en aille !

# L'INCONNUE DE LA SEINE

ELLE reconnut très bien la forêt. Elle savait qu'en prenant à main gauche, à partir de cette clairière-ci, elle atteindrait...

— Atteindrait quoi ? Elle l'ignorait ; mais ce lieu non plus ne lui causerait aucune surprise, cela, du moins, elle le savait. Les bois lui avaient toujours fait peur ; mais, ce soir, c'était ce mélange de peur et de certitude qui était singulier, cette sorte de *rassurement* à chaque pas de plus...

Et bientôt, en effet, elle aperçut la petite auberge, la tonnelle, le fleuve tranquille. Comment les oublier ? C'était là que, le troisième dimanche, Jean lui avait parlé. Oh ! ce trouble... Oh ! la sensation de mener et d'être menée, d'être si forte, maîtresse de toute décision, et cependant si vulnérable... Tout dépendait d'elle, mais déjà le *oui* envahissait son corps tout entier avec la fureur joyeuse de la mer lorsqu'elle pénètre dans ses grottes, lorsque ses chiens écumants en reconnaissent les secrets.

Dimanche, les cloches au loin, des lambeaux de chanson sur le fleuve, et le dangereux crépuscule qui donne des regards aux fleurs... Un dimanche sans lendemain, et la voix de Jean indiscernable de cette rumeur de rivière et d'abeilles. Un dimanche qui résume et remplace une vie, un dimanche de fin du monde...

(Elle s'était arrêtée, et pourtant il lui semblait que l'auberge s'approchait toujours.)

Le troisième dimanche... Mais il y en avait eu un autre. Quand ? Et que s'était-il passé ?... « Jean ! » Elle crut avoir appelé tout haut, mais aucun son n'était sorti de sa gorge. Il ne fallait pas appeler. Ni Jean ni personne. L'auberge s'approchait ; et le fleuve, le fleuve... Ni appeler ni poursuivre, mais tourner le dos, repartir vers la forêt malgré le soir qui allait tomber, non ! qui allait monter du sol aussi lentement que l'eau dans l'écluse. Déjà, les oiseaux échangeaient leurs adieux alternés. Il fallait faire son chemin entre ces deux falaises d'arbres. Ils avaient grandi depuis tout à l'heure ! Elle était le petit Poucet, le petit Chaperon rouge ; elle guettait la lumière dans ce bois, dans cette vie peuplée d'ogres et de loups.

Elle aperçut enfin la lumière et c'était celle d'une gare, avec ses barrières rassurantes et l'organisation naïve de ses signaux, de ses guichets, une gare mais déserte. Un *terminus :* les voies s'interrompaient sans butoir, et l'herbe s'aventurait jusqu'à la dernière traverse. Elle songea, pour la première fois, que tous les rails s'arrêtaient ainsi quelque part, tous les voyages, toutes les aventures, immobiles, décapités.

Un timbre grelottant se fit entendre, réveille-matin de l'hiver, et le train arriva sans bruit, s'immobilisa sans grincements. Une jeune fille, qui lui ressemblait assez, descendit de l'un des trois wagons et se dirigea vers la forêt, vers l'auberge. Elle-même monta en hâte dans le convoi, avec l'impression d'avoir échappé à un grand péril. Tous les passagers dormaient en cachant leur visage. Il n'y avait qu'un petit enfant, ses yeux ouverts, qui la regardait avec un air de reproche. Elle tendit la main vers cet enfant (les mêmes yeux que Jean), mais il secoua la tête. Il ne la quittait pas du regard et ne cillait jamais ses paupières. A la fin, comme fascinée par lui, elle s'endormit. Elle n'éprouvait pourtant aucune lassitude et ne sentait même pas son corps. Chaque tour de roue la rassurait un peu plus, comme chaque pas, tout à l'heure. Elle ne savait pas du tout où ce train l'emmenait, mais elle était sûre d'être à sa place. Et puis, elle n'y pouvait plus rien — quel repos ! Il faisait nuit ; chaque fois qu'elle relevait ses paupières de plomb, elle apercevait des petites maisons encore allumées, des cheminées qui fumaient bleu sous la lune — et ce petit garçon dont le regard n'avait pas désarmé.

Elle ne s'étonna pas de se réveiller dans le métro de Paris. Un wagon désert et, bien que l'on se trouvât en plein tunnel, elle se leva aussitôt car c'était à la prochaine station qu'elle devait descendre. C'était celle de son enfance : chaque jour, durant des années, elle avait foulé ce quai où elle marchait à présent, seule voyageuse, entre de grandes affiches passées de mode. Elle aurait pu monter les escaliers en fermant les yeux ; son pied reconnaissait les marches rugueuses, et sa main savait d'avance quelle résistance, quel manque de résistance, lui opposerait le portillon, et son oreille, quel claquement redoublé il produirait en se rabattant.

« Autrefois, pensa-t-elle, on trouvait à sa gauche, en faisant surface, une banque avec une horloge, et devant soi l'église, et plus loin vers la droite, un Auvergnat coiffé d'un passe-montagne qui vendait des marrons, mais seulement en hiver... »

Elle n'eut pas le temps d'achever cette pensée qu'elle se trouva investie par l'odeur des marrons grillés, celle qui s'échappait de son fourneau lorsqu'il en soulevait, telle une immense cymbale, le couvercle noir. L'odeur ! elle avait oublié l'odeur et ce picotement qui lui tirait des larmes quand la fumée parvenait jusqu'à ses yeux. Des larmes...

Un soleil d'août pesait sur les arbres et sur les passants, écrasait leurs ombres au sol. Elle savait très bien qu'un café avait remplacé la banque et que l'église montrait une façade neuve ; pourtant, elle ne s'étonna pas de trouver toute chose comme avant — ni de ne traîner aucune ombre, elle seule ! Sa maison d'enfance se trouvait à quelques pas ; depuis la mort de ses parents, ce logis avait changé deux fois de maître et elle évitait de passer devant lui.

Elle marchait sur l'extrême bord du trottoir (« C'est dangereux, ma petite fille ! ») en jetant de petits coups d'œil vers la fenêtre de ses parents. Elle se sentait en faute ; mais c'était intentionnellement qu'elle provoquait leur tendresse grondeuse : comme autrefois quand elle avait envie, besoin, besoin de se sentir aimée. Elle aperçut son père qui se penchait à la fenêtre et la menaçait du doigt en riant. Alors, elle courut vers lui ; elle étouffait de bonheur et de larmes.

Elle flottait entre deux eaux lorsque la barque s'approcha. Le brigadier la saisit par la taille, son jeune compagnon par les jambes et, sans aucune peine, ils la hissèrent dans la barque de sauvetage.

— C'est trop tard ? demanda le garçon.

— Tu penses !

En l'allongeant sur le fond, ils retournèrent enfin le corps, la face vers le ciel et s'arrêtèrent saisis : l'inconnue souriait.

— Elle sourit, fit le jeune d'une voix hésitante. Je croyais qu'au contraire...

— Je n'ai jamais vu cela, jamais ! (Il ne pouvait détacher son regard de ce visage si paisible, si secret, si sûr. L'impression qu'elle seule vivait et qu'eux se démenaient, rien de plus...) D'habitude, reprit-il, ils ont la face convulsée, ou alors méconnaissable.

— Peut-être que...

— Peut-être que quoi ?

— Rien, dit le garçon.

Il aimait, il comptait se marier l'an prochain ; et soudain il avait peur, peur, il tremblait de peur.

# LA FILLE DE JULES GUÉRIN

JULES Guérin (1858-1919) eut le destin d'une fusée d'artifice : il était monté en flèche, éblouissant ses maîtres et ses condisciples, avait jeté feux et flammes puis, devenu terne d'un seul coup, il était retombé assez lentement, émettant quelques brèves étincelles sans éclat, pour n'en pas finir de se consumer dans l'obscurité. Fidèlement nul en sciences et en mathématiques, mais toujours le premier dans les matières littéraires. Lauréat du Concours général en 1875 (c'était la première fois que son nom se trouvait *imprimé* et cela l'avait fasciné) sur le sujet : « Est-il vrai, à vos yeux, qu'il vaut mieux être le premier dans son village que le second à Rome ? », il avait, en répondant brillamment *oui*, vengé la secrète rancœur de ses maîtres du collège de Poitiers à l'égard des messieurs de Paris. Les dix-huit volumes reliés en maroquin rouge qu'il avait reçus en récompense prirent place sur une étagère spéciale derrière la table où il travaillait et sur cette table, la médaille dorée ; ils ne le quitteraient plus jamais. Quand il fermait les yeux, le jeune Jules Guérin (persuadé, en fait, qu'il serait un jour le premier à Rome) peuplait déjà ce modeste décor de tous les trophées de sa gloire à venir : des diplômes sous verre en plusieurs langues ; les photographies prises lors de sa réception à l'Académie française, et le jour de la remise du cordon de grand-croix de la Légion d'honneur par le Président de la République (on venait de rétablir celle-ci) au grand poète national Jules Guérin : divers autographes mémorables dont la fameuse lettre de Victor Hugo « Mon enfant, mon émule, mon frère... » ; mais surtout, éclipsant les dix-huit volumes, les innombrables éditions de ses propres œuvres poétiques, traduites dans toutes les langues de l'univers, publiées sur vélin dans des reliures dorées et aussi en livraisons populaires car elles étaient devenues la bible des Français. Certes, il y avait l'immense renommée de Victor Hugo qui portait ombrage au nouveau prophète des lettres françaises — « Mais quoi ! pensait le jeune homme, Corneille et Racine ont bien vécu dans le même siècle ! » Et puis il se racontait si souvent la Rencontre historique, l'accolade en public, la passation du flambeau (« Mon enfant, mon émule, mon frère ») qu'il avait cessé de l'espérer pour y croire.

Ainsi rêvait le jeune Jules Guérin, assis devant la modeste table où il préparait l'Ecole normale. Car, bien sûr, il entrerait dans l'enseignement : apprendre puis enseigner, n'était-ce pas la logique même ? et l'application, dans le domaine de l'esprit des lois de la physique élémentaire : le pendule, les vases communicants ? On retournait le sablier, indéfiniment : c'était cela la Culture, la Tradition. Cette perspective ne l'enchantait nullement. Certes, voir vingt regards passionnés attachés à ses lèvres et vingt mains impatientes noter la moindre de ses remarques ne lui déplaisait pas ; mais devoir, à longueur de vie, expliquer, commenter, faire admirer les œuvres d'autrui, alors que soi-même...

Le 11 mai 1879, Jules Guérin, âgé de vingt et un ans, recevait le premier grand prix des Jeux floraux de l'Ouest pour son poème « Comme le vent dans les grands arbres ». Deux lignes plus loin, *marbres* rimait avec *arbres ;* plus bas, *automne* avec *monotone,* etc. De nouveau, son nom fut imprimé dans *Le courrier de la Vienne*. La mairie de sa petite ville organisa un vin d'honneur en hommage à son poète. Le proviseur du collège fit un discours rempli d'ailes et de muses. Plus charnelles que celles-ci, les jeunes filles des notables observaient d'un œil faussement maternel ce garçon si pâle, le seul qui ne chassait pas, ne courait pas derrière les petites bonnes et laissait pousser ses cheveux. Emilie Moreau, la fille du notaire, se dit : « C'est moi qui l'épouserai. »

Le 1er juin de la même année (celle qu'on appelait, chez les Guérin, « l'année des Jeux floraux » comme on disait « l'année de la comète »), l'oncle Pascal mourut, léguant sa petite fortune à ce brillant neveu en même temps que sa maison et sa bibliothèque. C'était un vieux garçon qui n'avait jamais rien fait de ses dix doigts sinon tourner des pages de livres et caresser sa maîtresse-servante avec laquelle, hors du lit, aucune conversation n'était possible. Son neveu Jules lui rendait visite assez souvent ; ils faisaient assaut d'allusions poétiques et de citations ; ils dialoguaient en latin.

Assuré désormais d'une rente sensiblement égale aux appointements d'un professeur, Jules déclara à ses parents qu'il renonçait à l'enseignement et se consacrait à son œuvre. S'ils avaient refusé, majeur ou pas, il leur eût obéi ; mais c'était « l'année des Jeux floraux » : ils acquiescèrent. Jules ferma ses livres avec soulagement. Ne plus apprendre les œuvres des autres, enfin ! Il installa sur sa table, une fois pour toutes, l'arsenal du poète : trop de papier un peu trop blanc, un fouillis étudié de plumes, et la médaille dorée. Invisible dans le tiroir, un dictionnaire de rimes — « Et qu'on ne me dérange pas !... » Quand on demandait à ses parents ce que devenait leur grand fils, ils répondaient en baissant les yeux : « Il se consacre à son œuvre. » En fait, Jules se levait tard et, l'œil sombre, arpentait la maison dans la robe de chambre que, suivant ses indications, sa mère lui avait confectionnée et qui était, mais elle l'ignorait, la reproduction de celle de Balzac.

— Comment as-tu dormi, mon petit ?
— Tu sais bien que je ne puis trouver le sommeil.
— J'ai pourtant cru t'entendre ronfler...
— C'était le vent. J'avais laissé la fenêtre ouverte, comme toujours.
— Mais n'est-ce pas cela qui t'empêche de...
— J'aurais l'impression d'étouffer !

160

« L'inspiration », pensait sa mère qui se figurait vaguement que ce phénomène mystérieux était la respiration des génies.

Puis Jules partait dans la campagne, vêtu d'une cape qui évoquait le moine et le berger, et la tête couverte d'un vaste feutre qu'il maîtratait pour qu'il parût moins neuf. Il avait laissé pousser sa barbe, plus longue que celle de Victor Hugo. Il aurait souhaité qu'elle fût déjà parsemée de ces poils blancs qu'il appelait des fils d'argent et qui eussent prouvé qu'il était secrètement miné par des chagrins. En fait, ni poils gris ni chagrins mais un sommeil profond et sans rêve, un appétit déconcertant, d'autant plus robuste qu'il se fatiguait moins, et une prodigieuse aptitude à ne rien faire. Embusquée derrière des doubles rideaux, au premier étage de l'étude, Emilie Moreau regardait passer son poète. « Je l'épouserai l'année prochaine », pensait-elle. Sa mère s'était mariée à dix-sept ans; il eût été inconvenant de ne pas attendre le même âge.

Cette année-là (1881), le poète Jules Guérin établit le plan de ce qui serait — ou plutôt ne serait jamais — son œuvre maîtresse : *L'océan du temps* (une sorte de *Légende des siècles,* mais plus ambitieuse) et écrivit quelques sonnets. L'un d'eux, *A l'adorée,* parut dans le journal local, Emilie Moreau se l'attribua et son cœur battit. Elle trouvait ses parents de plus en plus pesants, communs. Oh! ces conversations à base d'argent, de ragots ou de plats cuisinés... Oh! cette vie en pantoufles, ces pendules toujours à l'heure et que son père remontait chaque samedi avant le déjeuner (rôti de veau aux carottes)... Lorsque Jules était venu à l'étude pour la succession de l'oncle Pascal, Emilie s'était arrangée pour le croiser dans le vestibule obscur. Il l'avait regardée d'un œil adorablement vague. Mais, pas plus que les peintres, les poètes ne pouvaient montrer le même regard que les autres hommes, n'est-ce pas? En fait, Jules ne pensait qu'à sa rente et n'avait pas remarqué la jeune fille. Deux ou trois fois, il avait levé les yeux vers le panonceau de l'étude. « Il me cherche du regard, se disait la jeune fille. Mais

161

comment le rencontrer ? Il est timide, forcément ! Aussi timide que passionné... » Elle se construisait ainsi un personnage de poète, assez semblable à celui que contrefaisait le jeune homme et, par conséquent, sans aucun rapport avec le véritable Jules Guérin.

En février 1882 eut lieu le bal annuel de la sous-préfecture. Il fut précédé de conciliabules cérémonieux entre M. Guérin père et Me Moreau. Celui-ci en avait pris l'initiative, poussé par Emilie qui l'avait persuadé que Jules Guérin était amoureux fou d'elle mais n'osait pas se déclarer. Le notaire eût préféré un prétendant issu de la Basoche et qui, le moment venu, prendrait sa suite, comme lui-même, avec plus de calcul que de passion, avait succédé à son beau-père. D'ailleurs, un ou deux de ses clercs actuels n'étaient entrés à l'étude que dans cette intention. Mais, cheval conduit par deux cochers, il en passa par où le désiraient sa fille unique et son épouse qui rêvait d'être la belle-mère de Victor Hugo. Il pria donc M. Guérin père de passer le voir à l'étude. On parla rentes, hectares, « espérances » ; on égalisa les deux plateaux de la balance — bref, on fit son devoir de père en redingote, breloques et favoris.

Le bal de la sous-préfecture eut lieu quelques semaines plus tard ; Jules et Emilie dansèrent ensemble toute la soirée, et la petite ville les fiança deux mois avant que la nouvelle devînt officielle. Jules se laissait porter par cette conspiration flatteuse. Emilie ne ferait-elle pas une muse tout à fait convenable ? Il écrivit une ode qu'il récita lui-même, adossé à la cheminée du salon, le jour de leur mariage — mais l'oncle Pascal n'était plus là pour la baptiser « épithalame ». Aucun des assistants n'aurait compris ce mot ; en revanche, presque tous avoisinaient le chiffre exact lorsqu'ils supputaient à voix basse les rentes dont disposeraient un jour les jeunes mariés. Ils faisaient déjà des jaloux : ils avaient tout pour être heureux !

Jules et Emilie s'installèrent dans la maison de l'oncle Pascal dont la maîtresse-servante, objet de la réprobation unanime, avait fui dès le lendemain d'obsèques « auxquelles cette créature avait eu le front d'assister ».

Comme elle avait, de toutes pièces, forgé un personnage de poète, Emilie se fabriqua celui de maîtresse de maison. Toutes les pendules donnèrent l'heure exacte, elle les remontait toutes ensemble et on mangeait du rôti de veau aux carottes une fois par semaine. Elle n'eut pas le temps de se désenchanter de ce personnage car elle entra bientôt dans celui de future maman puis de jeune mère.

Louise Guérin naquit le 9 décembre 1884. Emilie, qui parlait toujours d'élever une demi-douzaine d'enfants, se jura de ne plus en avoir d'autres. Les biberons, les hurlements nocturnes, les fesses rouges lui semblaient tout à fait indignes d'une muse. Muse de qui, d'ailleurs, muse pour quoi ? Hormis le fait de ne pas coucher seul, donc de dormir moins bien, Jules n'établit guère de différences dans sa vie. Feutre, cape, promenades solitaires, papier désespérément blanc — « Et qu'on ne me dérange pas ! » Il était devenu orphelin de père, voilà tout, et sa mère avait rajeuni de trente ans et changé de prénom.

Emilie fut la première (et finalement la seule) à s'aviser de la nullité de Jules. Elle n'était pas assez psychologue pour comprendre qu'affronté à cet échec, lui-même ne pouvait combattre le désespoir que par la prétention et l'imposture. Pas assez lucide non plus pour admettre qu'elle s'était, par pure vanité, fabriqué une fausse passion où le jeune homme Jules Guérin, son cœur, son caractère, ne prenaient aucune part. Elle avait cru, voulu à toutes forces aimer une statue ; elle s'avisait que celle-ci était creuse, elle n'aurait dû s'en prendre qu'à elle-même. En fait, elle se mit à le mépriser et à le haïr ; et d'autant plus que, vis-à-vis de « la société », elle se devait à elle-même de continuer à jouer le jeu du grand poète et le rôle de la muse attentive.

Cela dura neuf ans. A Paris et de nos jours, le divorce aurait pris place dans la seconde ou la troisième année ; à l'époque, la loi ne le reconnaissait pas. Emilie fit à Poitiers la connaissance d'un ressortissant américain (le seul, peut-être, de toute la région) qui, au

163

moral comme au physique, figurait le contraire même d'un poète. En juin 1893, elle s'enfuit avec lui. La gendarmerie la recherchait encore à travers toute la France qu'elle se trouvait déjà en Amérique où l'état civil ne se montrait pas aussi exigeant. Son géant roux ne lui laissa pas le temps de « cristalliser » de nouveau sur le mythe de l'aventurier, du pionnier, de Buffalo-Bill : il lui fit, coup sur coup, les six enfants prévus. Il existe encore, paraît-il, des Weston-Moreau dans la région de Baltimore.

Publiquement humiliés, ses parents prirent une sorte de deuil mesquin et sans douleur de leur fille indigne. M$^{me}$ Guérin mère espéra que Jules reviendrait habiter « à la maison » avec la petite Louise, ce qui eût été une façon d'arrêter le temps. Il refusa, sans tirades, avec une douceur déchirante. Le départ d'Emilie le laissait hébété. Il n'eut jamais un mot de reproche à son égard malgré la conspiration familiale. Il ne cherchait même pas à sauver la face, sa pauvre face de veuf et de cocu. Il souffrait pour la première fois ; il vivait enfin. Il ne parlait de l'événement qu'avec lui-même, mais sans cesse ; et, dans ce procès intime, il ne trouvait d'autre coupable que lui : « Comment n'est-elle pas partie plus tôt ? se demandait-il sincèrement. Il lui a fallu neuf ans pour s'aviser que je suis un raté. Il est vrai que j'étais le premier à feindre de ne pas m'en apercevoir... » Il remisa la cape romantique, le feutre de l'artiste, les promenades solitaires, la provision de papier blanc. « Un raté... Je vais reprendre mes études pour devenir enseignant. De quoi d'autre suis-je capable ? Et même en serai-je capable ? » Il trouvait une amère douceur à toucher le fond. Son bel appétit, son sommeil profond avait sombré dans ce naufrage en même temps que sa bonne conscience — corps et biens. Quinze ans d'imposture — c'est ainsi qu'il voyait sa vie passée. Quant à l'avenir... Les habitants de sa petite ville espéraient vaguement qu'il allait, comme on disait alors, se brûler la cervelle — « Quoique cette Emilie ne le méritât guère ! Mais, avec les poètes, sait-on jamais ? » Rien de tel ne s'étant produit, ils attendirent qu'il se consolât sans retenue dans la débauche, ou la boisson, ou les deux. Là encore, leur mauvaise curiosité fut déçue. « Avait-il le droit d'entrer dans les ordres ? » Presque tout le monde se posa la question — sauf lui. Il demeurait cloîtré dans cette maison où rien ne lui rappelait Emilie car il ne l'y avait jamais vraiment regardée vivre. Cloîtré, taciturne, hors du temps — jusqu'au soir du 17 novembre.

Le 17 novembre 1893, vers 9 heures et demie (mais on ne remontait plus les pendules), il était assis devant sa table inutile, incapable de lire ni — ce qui lui paraissait plus grave — d'écrire une seule ligne (« Un vrai poète en aurait tiré un chef-d'œuvre ! ») lorsque la porte s'ouvrit et, avant même qu'apparût une petite silhouette en chemise de nuit, la voix rauque de larmes de Louise, neuf ans, se mit à réciter *Comme le vent dans les grands arbres...* Elle le savait par cœur ; elle le disait sans reprendre son souffle, sans quitter des yeux son père. Quand elle le vit éclater en sanglots, elle permit enfin à ses propres larmes de couler et se jeta dans ses bras. Ils demeurèrent ainsi — « Ma petite enfant chérie... Mon papa à moi... » — durant plus d'une heure. « Je te demande pardon, murmurait-il à son oreille. Pardon de t'avoir oubliée depuis tant de jours et même, à vrai dire, depuis neuf ans. — « C'est toi que j'aime, disait tout bas la petite fille. C'est toi que j'aimais, toi seul, depuis toujours... Tu vas voir, on va être heureux tous les deux... » Et lui, pour la première fois : « Tu vas prendre froid, mon enfant chérie... Tu as le front brûlant ! Veux-tu que je te prépare une tisane ? (Il n'aurait pas su.) Demain, nous irons nous promener ensemble. Tant pis pour l'école ! Je t'aiderai à faire tes devoirs, je te ferai réciter tes leçons. — Et, presque timidement : Est-ce que tu aimes la poésie, toi aussi ? »

Le lendemain, la petite ville les vit déambuler, la main dans la main ; mais eux ne voyaient personne. Quatre fois par jour, Jules Guérin prit le chemin de l'école pour conduire ou ramener Louise qui, cette année-là, remporta tous les prix.

— Et vous, papa ? (Depuis la nuit des retrouvailles, elle avait repris le vouvoiement d'usage.)

— Comment cela, moi ?

— Vous ne travaillez pas beaucoup ! Ou bien vous ne me montrez pas vos poèmes. Je veux les lire tous, papa, je les aime tellement... Les lire et les apprendre !

— J'essaierai, dit-il humblement, j'essaierai pour toi.

— Non, papa, pour tout le monde : comme M. Victor Hugo.

— Comme tu y vas, mon enfant !

Elle montra un visage si sincèrement étonné : il était si évident que, pour elle, il n'y avait aucune différence entre M. Victor Hugo et son papa (sauf que l'un était très vieux, tandis que l'autre avait le temps d'écrire autant de livres) que Jules Guérin se retrouva, orgueil en moins, rajeuni de quinze ans. Il lui sembla qu'il venait de recevoir la couronne des Jeux floraux ; les livres rouges s'alignaient au-dessus de sa tête et la médaille dorée, toute neuve, brillait sur la table à côté du papier blanc. Chaque jour désormais le vit assis devant cette table si longtemps désertée, peinant à aligner des vers médiocres ou des récits sans imagination que Louise dévorait, bien qu'elle eût, à l'école puis à l'institution Notre-Dame, passé sa journée en compagnie de La Fontaine, de Balzac ou de Lamartine.

A présent (1905) elle avait un peu plus de vingt ans, un visage plaisant mais qui, pour sa désolation, ressemblait plutôt à celui de sa mère dont le nom n'avait jamais plus été prononcé et dont aucun des deux ne parvenait à se remémorer la voix ni les expressions familières. Louise n'était ni jolie ni laide ; aimer ou être aimée l'eût embellie, chacun le pressentait confusément, mais elle s'y refusait. Un jour que, par devoir et la mort dans l'âme, son père évoquait le moment où elle se marierait et quitterait leur maison :

— Jamais, répondit-elle, avec, dans le regard, une lueur farouche et presque méchante. Vous devriez être le dernier à me le conseiller, papa !

— Mon enfant, ce n'est pas une raison parce que j'ai manqué mon...

— Vous n'avez rien manqué du tout, papa — dans aucun domaine, ajouta-t-elle à mi-voix. Ce sont les autres qui sont à plaindre : ceux qui ne savent pas transcrire leur douleur, leur... leur échec en chef-d'œuvre.

— Tu exagères, Louise.

— Et ça ?

Elle montrait, dans la bibliothèque, les trois minces recueils qu'elle avait fait éditer à compte d'auteur. Sans le lui dire ! Ce qui était aisé, car elle seule gérait le budget du ménage.

— C'est bien peu de chose, ma chérie !

— Bien peu de chose ? Et tout cela ?

Cette fois, elle désignait les nombreux classeurs où elle avait recueilli ses brouillons laborieux, ses moindres ébauches ainsi que les *billets* ou chroniques qu'elle l'encourageait à publier dans la presse locale.

— Regardez donc ! Et comptez : presque autant de volumes que votre prix au Concours général...

— C'est pourtant vrai.

Il ne parla plus jamais mariage. Les quatre grands-parents de Louise moururent, un certain hiver, l'un après l'autre. La maison Moreau, contiguë à l'étude, fut achetée par le successeur ; la maison Guérin, encaustiquée, naphtalinée, ses meubles mis sous des housses et ses suspensions ensachées d'étoffes légères, tomba dans le coma.

— A quoi bon la conserver, ma chérie ? Nous pourrions au moins la louer...

Louise dévisagea son père d'un air scandalisé :

— Votre maison natale !

La belle époque et ses outrances, l'affaire Dreyfus, l'orageuse séparation de l'Eglise et de l'Etat, l'amitié franco-russe, les rodomontades du Kaiser, l'Entente cordiale — tous ces événements qui exaspéraient ou exaltaient Paris — passèrent comme des nuages au-dessus de Jules Guérin et de sa fille : au-dessus de leur promenade quotidienne, de leurs lectures à haute voix, de ce bras dessus, bras dessous permanent que constituait leur vie — des nuages qui ne faisaient même pas d'ombre. Le coup de pistolet de Serajevo, qui déchira l'Europe, ne rompit pas la trame de cette existence si régulière qu'ils ne se demandaient même plus si elle était heureuse, ce qui peut passer pour le comble du bonheur. Jules Guérin (cinquante-six ans) était trop vieux pour être mobilisé, et Louise n'avait à trembler pour aucun frère, aucun fiancé, pas même un ancien amoureux. La Grande Guerre n'aurait donc presque pas compté pour eux si elle n'avait donné au poète l'occasion d'écrire quelques odes héroïques et de rappeler aux jeunes Français, dans des billets enflammés, que mourir pour la patrie était le sort le plus beau, le plus digne d'envie. C'est une opinion tenace chez les poètes qui sont rarement mobilisés et à qui Charles Péguy sert désormais d'alibi incontestable. En revanche, durant l'hiver 1917, les restrictions de combustible provoquèrent chez Jules Guérin une mauvaise bronchite. Il toussait de nouveau lorsque le 11 novembre 1918 lui fournit le sujet de son dernier grand poème : « La victoire, en chantant... » Malgré les soins anxieux de Louise, il s'éteignit l'année suivante en murmurant son prénom et en serrant, avec tout ce qui lui restait de forces, cette main si pure. Quand rien ne bougea plus sur cette face qui, en un instant, était redevenue celle du jeune homme Jules Guérin, Louise tomba à genoux et supplia sincèrement le ciel de la foudroyer.

Pourtant, sa tâche était loin d'être achevée. Et d'abord, elle régla par le menu l'ordonnance d'une cérémonie qui, à l'échelon de la petite ville, fit figure d'obsèques nationales. Dans l'émotion générale, elle obtint du Conseil municipal que la place du Commerce devînt place Jules Guérin, *poète,* (1858-1919) et l'apposition d'une plaque commémorative sur sa maison natale. Il y avait eu deux discours au cimetière, il y en eut trois, malgré l'averse, lors de l'inauguration qui prit place devant plusieurs centaines de parapluies. Elle suggéra aussi l'érection d'une statue ou, à tout le moins, d'un buste dans le jardin public ; elle proposait d'en assumer tous les frais. Mais la guerre venait de finir et la France ne s'intéressait qu'aux monuments aux morts. « Nous verrons cela plus tard », dit le maire à sa visiteuse en voiles noirs. « Ce sera jamais », pensa-t-elle amèrement, et elle chercha aussitôt, tandis que la gloire locale de son père était encore tiède, le moyen d'atténuer cet affront et cette injustice.

— Puis-je, du moins, espérer l'appui de la municipalité si je crée, dans sa maison natale, un musée Jules Guérin ?

— Mais certainement, répondit l'autre à qui cet « appui » ne coûtait rien. Ce sera pour nous tous un grand honneur.

En pénétrant dans le musée Jules Guérin (ouvert tous les jours sauf le mardi, de 10 heures à 18 heures), dans le vestibule d'où les patères, porte-parapluies et tout autre vestige trivial avaient été retirés, on était accueilli par le buste du poète. Louise l'avait fait exécuter d'après plusieurs photographies et il n'était guère ressemblant. Elle ne désespérait pas qu'un jour, quand toute leur folie tricolore serait passée, on en revînt aux gloires plus durables et que le conseil municipal lui-même prît l'initiative de placer ce buste à l'honneur, c'est-à-dire parmi les fleurs, les oiseaux et les enfants. Donc, le buste, puis un plan en couleur du musée qui, sur les deux étages de la maison Guérin, se divisait ainsi :

SALLE I : UN SIECLE DE POESIE. On y voyait portraits, livres et fac-similés de manuscrits de tous les Grands du XIXe siècle. Jules Guérin y figurait entre Leconte de Lisle et Sully Prudhomme, ex aequo. Après lui, il était fait une mention assez modeste de Baudelaire et de Verlaine, poètes notables mais scandaleux.

SALLE II : LES ORIGINES D'UNE VOCATION. Toutes sortes de portraits et daguerréotypes de famille s'y trouvaient rassemblés, ainsi que les vestiges de l'enfance et de l'adolescence de Jules Guérin : quelques jouets, un pupitre taché d'encre (Louise l'avait racheté à l'école), d'anciennes rédactions annotées de rouge... Cette rétrospective s'achevait sur le brouillon de la fameuse copie primée au Concours général, la médaille d'or, les dix-huit volumes rouges et, sous verre, le fragment de journal qui à cette occasion, avait pour la première fois imprimé le nom du poète.

SALLE III : LES ETAPES D'UNE ŒUVRE. Louise était parvenue à distinguer des « périodes » dans cette vie si étale : les premiers poèmes, les chroniques, les grandes odes... Tous les manuscrits, raturés, recopiés, photographiés, agrandis, se trouvaient là, accompagnés d'une étude graphologique qu'elle avait commandée non sans prévenir le spécialiste qu'il s'agissait de l'écriture d'un grand poète. Le diplôme des Jeux floraux, le manuscrit de *Comme le vent dans les grands arbres* et la reproduction du poème dans *Le courrier de la Vienne* figuraient en bonne place. Mais surtout les trois petits recueils, imprimés sur papier bouffant et somptueusement reliés faisaient figure de véritables volumes et reposaient sous verre au milieu de la pièce sur un lit de velours grenat.

SALLE IV : LA VIE QUOTIDIENNE D'UN POETE. A garnir cette pièce-là, Louise avait trouvé une joie déchirante. On y voyait en effet — outre « la plume qui écrivit *La victoire en chantant* », la canne et la cape de promenade, pareille à un grand oiseau de nuit cloué au mur, ainsi que la robe de chambre, compagne du matin, et la tasse à café, « compagne de la nuit ». Louise elle-même, que les ronflements de son père empêchaient parfois de dormir, avait fini par croire que l'inspiration le tenait éveillé. Sur les pancartes qui désignaient ces différents objets, on pouvait lire des allusions à J.-J. Rousseau, à Balzac et à Buffon. Ces cartons, Louise les avait fait imprimer, ce qui conférait à leurs assertions un caractère véridique. Les murs s'ornaient encore de photographies prises de saison en saison, les plus romantiques possible. Même pour évoquer leurs petits plaisirs (la carriole, le pique-nique), Louise avait choisi des images où son père ne souriait pas ; si bien que, d'instinct, on marchait sur la pointe des pieds en visitant cette salle.

Un dernier couloir, avant de regagner l'escalier, s'ornait modestement des témoignages de la gloire de Jules Guérin : quelques lettres élogieuses reçues de Paris, un billet de François Coppée pour remercier de l'envoi d'un des trois recueils : « J'ai lu avec intérêt et émotion… » (C'était doublement faux : il ne l'avait même pas lu.) La demande du proviseur de son ancien collège : « Nous feriez-vous, mon cher maître, l'honneur de présider notre cérémonie de la distribution des prix ? » Enfin, souvenirs de l'année terrible, les notices nécrologiques (Louise les avait établies elle-même à l'intention des journaux du département), les discours prononcés lors des funérailles et de l'inauguration de la plaque commémorative avec une vue cavalière des parapluies. Seule tache un peu « gaie » dans ce sinistre corridor, la méda..e argent et violet des palmes académiques, décernée au poète grâce aux démarches secrètes et patientes de Louise.

A l'issue de cette visite, on dévisageait d'un tout autre œil le buste du vestibule et l'on s'inclinait en silence devant la fille de Jules Guérin qui, le plus souvent, vous avait guidé d'une pièce à l'autre. Car elle ne quittait jamais le musée aux heures d'ouverture, mais accueillait, accompagnait et remerciait les visiteurs. Les premiers temps, ils furent assez nombreux : presque tous les habitants de la petite ville et des bourgs voisins et même, le dimanche, plusieurs personnes venues de Poitiers. Toutefois, elles ne durent guère en parler autour d'elles, car ce modeste flot se tarit vite malgré la parution, dans la presse locale, de comptes rendus élogieux rédigés par Louise. En revanche, elle ne put parvenir à faire insérer une notice dans le guide de la région ; on lui opposa que son musée n'était pas « officiel ». Elle s'était réservé à l'étage un logement assez exigu ; si bien que, pareille au prêtre dont le presbytère ouvre directement sur l'église qu'il dessert, il lui suffisait de pousser une porte pour pénétrer dans le musée Jules Guérin dont, certaines semaines, elle était l'unique visiteuse.

Un matin de mars 1921, Louise Guérin, qui descendait l'escalier, s'arrêta sur l'une des marches. Devant le buste de son père se tenait, aussi immobile qu'elle-même, un visiteur qu'elle n'avait pas entendu entrer. Elle l'observa quelques instants, se demandant ce qui la touchait tant chez cet inconnu. Elle ne le comprit que lorsqu'il se déplaça, révéla son profil et sa démarche : il ressemblait à Jules Guérin. Il n'en avait, bien sûr, ni la prestance ni le rayonnement ; mais enfin ces cheveux un peu trop longs, cette façon de pencher la tête de côté et, tenez ! ce geste prévenant de la main... Elle n'avait jamais ressenti pareille émotion depuis la mort du poète. Cela dut se lire sur son visage lorsqu'elle proposa à l'inconnu de guider sa visite, car lui-même parut fort troublé et ne la quitta plus des yeux. Il se présenta : Rémy Lefranc, professeur au collège de la petite ville. Non, il n'avait pas connu le grand homme, mais il avait lu tous ses poèmes (il en récita quelques vers). C'était la seconde fois qu'il venait au musée et, si vous le permettez, il allait prendre quelques notes car son intention était de le faire visiter samedi prochain à tous ses élèves.

— Je leur ai déjà donné à commenter l'Ode sur la victoire et, durant le troisième trimestre, je crois que je leur proposerai comme sujet de composition le fameux « Second dans mon village ou premier à Rome »...

Louise l'aurait embrassé, et il était visible qu'il n'eût pas demandé mieux. Il n'osa pas avouer (mais, à présent, il savait qu'il le lui confesserait tôt ou tard) qu'il l'avait remarquée le jour de l'enterrement, longuement observée — sans voiles, cette fois — lors de l'inauguration de la plaque et que, depuis, il ne cessait de songer à elle. Trente-huit ans, passionné mais timide, ayant longuement caché cette disposition sous une recherche hautaine et romantique de la solitude, mais soudain pris d'angoisse à la pensée du temps « qui passe inexorablement » comme l'aurait écrit Jules Guérin (après plusieurs autres). Il pressentait que Louise était un peu plus âgée que lui, mais cela le rassurait plutôt. Elle serait son amie, sa sœur, sa mère ; elle serait son épouse. Elle incarnait la droiture, la fidélité, une pureté sans mièvrerie. Dieu merci, elle vivait seule, trop seule sans doute. Ah ! s'il pouvait un jour lui adresser la parole sans témoins, sans rougir non plus...

— Eh bien, c'était fait.

Chacun d'eux avait pris un tel retard vis-à-vis de son propre cœur que les choses allèrent beaucoup plus vite que Rémy n'avait osé le rêver. La semaine suivante, sa classe vint visiter le musée et le premier en récitation déclama *A l'adorée* devant Louise qui ne s'y méprit point : le bon élève n'était qu'un porte-parole. Rémy persuada deux de ses collègues de conduire aussi leurs élèves au musée Jules Guérin. « Si vous êtes trop occupés, je les accompagnerai... » Le mois suivant, il proposa à Louise, dont la présence était requise à Poitiers, de la remplacer au musée : « Je crois qu'à présent je saurai commenter la visite presque aussi bien que vous ! » Il se morfondit toute la journée mais, lorsqu'elle rentra de Poitiers, il lui mentit avec enthousiasme : « J'ai reçu sept... non ! huit visiteurs. » Elle n'en crut pas un mot mais lui fut bien reconnaissante de cette tromperie.

— Samedi prochain, ajouta-t-elle, je procéderai à des rangements...

Elle s'arrêta pour lui laisser demander lui-même :

— Accepteriez-vous mon aide... Louise ?

(Ils s'appelaient par leur prénom, en hésitant encore un peu.)

Ce fut une journée inoubliable, bien qu'un témoin n'y eût rien observé de notable. Ils se donnèrent rendez-vous à la grand-messe du lendemain et, quand elle lui tendit, du bout des doigts, une trace d'eau bénite, il leur sembla qu'ils venaient déjà de s'unir par une sorte de sacrement.

Le mois suivant, il osa l'inviter à déjeuner chez lui. Cuisinier malhabile, serveur peu adroit, il ne cessait de s'excuser tout en sentant bien que cette gaucherie même attendrissait Louise. A son tour, elle l'invita et n'hésita pas, ce jour-là, à fermer le musée de 11 h 30 à 15 heures. En fait, aucun visiteur ne se présenta ; mais ce geste symbolique et dont elle éprouvait quelques remords parut décisif à Rémy. Il osa parler de sa solitude, du temps qui passait, de la grâce que représentait une rencontre comme la leur. Il s'arrêta (et s'en voulut grandement) au bord des mots qui les eussent engagés : Avenir, Union, Amour surtout. Elle l'écoutait, les yeux baissés. Qu'elle était belle ! Il fut saisi d'une sorte de vertige et la quitta avec une brusquerie qui, à son insu, parlait plus fort que tous ses discours.

Aux premiers froids, il tomba malade : il avait les bronches fragiles, « comme papa » ! Elle courut le soigner, sans souci du qu'en-dira-t-on ni des visiteurs éventuels, et ils connurent, dans une odeur de tilleul et d'inhalations à l'eucalyptus, un avant-goût du bonheur conjugal. « A mon âge, songeait Louise avec tristesse, je n'aurai pas d'enfant. C'est lui qui sera mon enfant... » Il y pensait aussi, mais non sans joie.

Dès qu'il fut convalescent, ils prirent l'habitude (*Le Musée sera fermé cet après-midi*) de s'aller promener ensemble. Elle le conduisait par les mêmes chemins que son père et, de même qu'elle avait adopté les enjambées du grand homme, Rémy adopta son pas au sien. Elle aurait voulu qu'il portât une cape semblable à celle qui s'empoussiérait un peu à huis clos dans la salle IV du musée. Elle-même avait abandonné ses vêtements noirs et rendu vie à sa garde-robe des années heureuses. Un jour que ses hauts talons, oubliés depuis tout ce temps, l'avaient fait trébucher en chemin, Rémy la reçut dans ses bras et leurs lèvres se rencontrèrent.

Leur bonheur changea de cours : les deux torrents se fondirent en une rivière tranquille. Plus de rêves solitaires ni d'allusions qui faisaient rougir l'un et l'autre, mais des projets de plus en plus précis et finalement une date : ils se marieraient le 11 mai prochain — c'était l'anniversaire des Jeux floraux. Mais un premier nuage passa sur leur paradis un jour qu'ils rangeaient ensemble ce que Louise appelait les archives du musée. Rémy découvrit une image de la « période maudite » où l'on voyait sourire Emilie Guérin, née Moreau.

— Comme vous ressemblez à votre mère, ma chérie ! s'écria-t-il étourdiment.

— Vous vous trompez, répondit-elle d'une voix sèche, je n'ai rien d'elle, je suis le portrait de mon père.

« Elle n'est donc pas encore *guérie,* pensa le fiancé. Il faudra que je prenne garde... »

Il était si heureux qu'il ne prit pas garde. En mars, à deux mois du mariage, la foudre tomba pour de bon.

— Louise, ma chérie, ne serait-il pas temps d'aérer un peu notre future demeure, celle que vous appelez « la maison Guérin » ?

— Mais je pensais que...

— Que nous pourrions loger ici, dans le musée ? Ce ne serait pas raisonnable, Louise ! Deux petites pièces sous les toits, alors que là-bas...

— Ce qui ne serait pas « raisonnable », Rémy, serait de laisser le musée sans surveillance.

— On pourrait appointer une sorte de gardien. Un retraité ne demanderait pas mieux, pour arrondir sa petite pension...

— Vraiment ? Un vieillard incapable de défendre le musée contre un voleur éventuel ?

— Franchement, qui aurait l'idée d'y dérober quoi que ce soit ? (Il regretta aussitôt cette parole.) Je veux dire...

— Un vieillard qui ne saurait même pas commenter la visite ? poursuivit-elle mais d'une voix différente.

— Je préparerais une notice, proposa-t-il du ton le plus conciliant.

— De toute façon, il vaudrait mieux que ce fût moi !

Elle venait de s'aviser que, depuis des semaines, Rémy n'avait plus mentionné Jules Guérin, ni même parlé de poésie... — Si ! avant-hier, au cours de leur promenade, il avait prononcé le dithyrambe de je ne sais quels inconnus : Paul Valérien, Paul Claudeuil, ou quelque chose de semblable. Elle l'observa à la dérobée. « Comment ai-je pu trouver qu'il ressemblait à

mon père ? » se demanda-t-elle. Cependant Rémy-
l'inconscient poursuivait, selon une logique qui n'aurait
pu toucher qu'une personne tout à fait *guérie :*

— Ou encore, ma chérie, nous pourrions décider
que le musée (« Nous ! De quoi se mêle-t-il ? ») ne
serait ouvert que l'après-midi. Vous savez comme moi
qu'il ne vient pratiquement personne le matin...

Elle le savait, mais l'affirmer tout haut conférait à
cette absence de visiteurs un caractère humiliant,
définitif.

— Ou tenez ! continua l'innocent qui prenait ce
silence pour de la réflexion, on ne l'ouvrirait que tel et
tel jour : cela vous permettrait de vous y consacrer
entièrement sans trop peser sur notre vie.

« Sans trop peser sur notre vie » ! Mais justement,
que pesait leur vie en comparaison du musée, de la
mémoire de Jules Guérin ?

— C'est impossible.

Elle se retint d'ajouter « Rémy » : il lui semblait que,
depuis tout à l'heure, elle parlait à un étranger.

— Ce qui est « impossible », répondit-il à son tour
d'un ton bref, c'est d'hypothéquer ainsi notre existence... Notre bonheur, ajouta-t-il avec déjà moins
d'assurance.

Y croyait-il encore ? — Oui, de toutes ses forces et à
tout prix ; mais il lui semblait soudain qu'il était le seul.
Il changea d'approche :

— Louise, je veux vous faire honneur, vous le savez !
J'espère — je ne vous en avais pas parlé, mais c'est fort
avancé à présent — j'espère bien être nommé prochai-
nement professeur à Poitiers... Oui, à Poitiers, répéta-
t-il avec une fierté naïve, oubliant tout à fait qu'il vaut
mieux être le premier dans le bourg natal de Jules
Guérin que le second dans une ville universitaire.

— Je vois surtout que, dans tout ceci, vous n'avez
guère pensé qu'à vous.

— A nous, Louise, à nous deux ! Enfin ne seriez-
vous pas heureuse et fière d'être un jour l'épouse d'un
professeur de Faculté ?

« Je suis d'abord la fille de Jules Guérin », songea-

176

t-elle aussitôt. C'était une ancienne Louise qui lui soufflait cette pensée ; elle l'avait crue endormie, exilée — allons, elle était bien vivante, elle était la plus forte. Cette Louise-là retrouvait d'un coup toute sa lucidité : elle savait très bien qu'elle risquait de vieillir dans un désert, sans avoir vu le temps passer, sans avoir vécu. Il suffisait d'un mot ; elle ne put s'empêcher de le prononcer.

— Je crois que nous nous sommes trompés, dit-elle d'une voix si altérée qu'on eût dit que c'était une autre qui parlait — mais c'était bien une autre qui parlait.

— Allons, fit Rémy avec un rire qui sonnait faux, nous sommes mal partis. Une bonne nuit de réflexion, de part et d'autre, et je suis sûr que demain matin nous pourrons... (Il voulut la dévisager avec bonhomie : une statue aux yeux fermés, une gisante debout.) A demain, Louise !

Il descendit l'escalier, sans un regard pour le buste du grand homme. « A demain, Louise ! » répéta-t-il en se retournant vers elle, aussi froide, immobile, *aussi peu ressemblante que le buste.* Il chassa le pressentiment qu'il la voyait pour la dernière fois. Sa timidité, son manque d'assurance, tout ce que le bonheur de ces mois-ci avait relégué reprenait possession de lui. Il sentit qu'il avait de nouveau les mains moites.

« Une bonne nuit de réflexion... » La sienne fut horrible. A l'aube, il était bien décidé à battre en retraite sur tous les fronts : adieu la nomination à Poitiers et toute tentative de promotion ! Ils logeraient dans les combles du musée, à l'étroit mais heureux. — Heureux ? Etait-ce encore possible ? Louise si fière lui pardonnerait-elle seulement cette capitulation sans conditions ? Et puis le fantôme de son grand homme ne se tiendrait-il pas toujours entre eux ? Comment Louise ne se rendait-elle pas compte, justement, qu'il n'avait jamais été qu'un fantôme ? Que son œuvre était dérisoire et nul son talent ? Qu'au fond, le grand homme, c'était elle, elle seule ? Sans son intelligence, sa fidélité, son opiniâtreté, personne ne parlerait plus de Jules

Guérin. D'ailleurs, hormis la plaque du musée, qui le mentionnait encore ?

N'importe ! Rémy garderait pour lui ces pensées : il continuerait de jouer le jeu de l'admiration puisque c'était la condition pour vivre avec Louise, et comment vivre sans elle désormais ? — « Un ménage à trois », se dit-il en souriant, en croyant sourire.

Avant de gagner le musée, il fit le détour par la maison Guérin. Un espoir insensé l'avait soudain assailli au sortir de sa propre demeure : que Louise ayant, elle aussi, réfléchi cette nuit consentait à faire la moitié du chemin et qu'il trouverait grandes ouvertes les persiennes et les croisées de leur futur logis... Mais la façade en était aussi plate et close que le visage d'un mort. « Allons, cela ne veut rien dire », s'obligea-t-il à penser. Il poursuivit son chemin, du pas même de Louise, car il ne pouvait s'en défaire même lorsqu'il marchait sans elle.

Lorsqu'il parvint devant l'autre maison, la seule où il eût jamais connu le bonheur, il vit qu'une pancarte fraîchement peinte recouvrait la plaque habituelle :

MUSÉE JULES GUÉRIN
FERMETURE PROVISOIRE
POUR AGRANDISSEMENTS

Son cœur se mit à battre trop vite, comme pour le rappeler à la vie. C'était donc la réponse de Louise... En réclamer une autre en frappant à cette porte fermée, ce serait seulement se faire, par surcroît, mépriser d'elle, mettre le comble à son malheur.

Il se retourna très vite pour cacher (mais à qui ?) ses larmes et s'éloigna d'un pas incertain. Un rideau s'était écarté à l'étage et Louise, les yeux secs, le regardait partir. Elle était irritée que son cœur se fût mis à battre trop vite — au même rythme exactement, mais aucun d'eux ne le savait, que celui de cet homme qui, à chaque pas, devenait davantage un inconnu pour elle.

Elle laissa retomber le rideau qui lui parut plus épais et plus lourd qu'auparavant et se dirigea vers le musée

Jules Guérin. En ouvrant la porte sur ces ténèbres désertes, elle fut suffoquée par l'odeur de poussière ; et aussi par cette fraîcheur qui en montait : une fraîcheur de crypte, de tombeau.

## CHAMBRE 21

Vers 2 heures après minuit, il sonna la garde, lui
demanda de quoi écrire.

— Je vous en prie, ajouta-t-il d'une voix si sourde
que la femme en blanc le dévisagea. (Il détourna la tête
et répéta plus bas :) Je vous en prie.

Elle apporta du papier, un crayon. Le geste du
gisant, pour l'en remercier, signifiait aussi : laissez-moi
seul... Quand la double porte se fut refermée, il voulut
respirer à longs traits ; mais déjà il y parvenait mal, et
plus mal d'instant en instant. Allons, il fallait faire vite.
Le crayon, sur le papier, traça ces mots : « Mon
amour » ; depuis vingt ans toutes leurs lettres débu-
taient ainsi (et, lorsqu'ils se trouvaient séparés, ils
s'écrivaient chaque jour). Pourtant sa main cessa
d'écrire ; il considéra ces mots comme s'il les lisait pour
la première fois et ses yeux se remplirent de larmes.

— C'est faux, dit-il tout haut. Je n'ai pas le droit, pas
le droit...

Il respirait si court qu'une panique le saisit : « Jamais
je n'aurai le temps... » Et il se remit à écrire en lignes
crispées, presque illisibles.

... J'étouffe, j'étouffe de regrets, de remords : je n'ai
jamais su t'aimer. Jamais aimé que nous deux, notre
réussite — même pas ! notre apparente réussite : tous
les signes extérieurs du bonheur. J'ai gagné ma vie,
tenu ma place, calculé, calculé : j'ai joué le jeu imbécile
des hommes ; j'en avais accepté les règles une fois pour

toutes. *Je n'ai jamais rien remis en question pour toi...*
Mon enfant, mon petit enfant taciturne, que te restait-il ? Heureusement, ton amour était pareil à l'eau qui se glisse partout en silence et remplit humblement la place qu'on lui laisse. Pourtant je te trouvais bien exigeante, je te reprochais de prendre à la légère nos histoires d'hommes, nos grandes constructions ; tu avais raison : ce ne sont que des échafaudages ; vous seules savez bâtir l'essentiel. Toute ma vie...

(De nouveau, ces mots le laissèrent interdit. « Toute une vie », cela lui paraissait dérisoire : si bref, si vide, si solitaire...)

...Toute ma vie je suis passé à côté de la vérité. Toi, tu la détenais si paisiblement, comme malgré toi. Ton geste le plus simple pour soigner l'un des enfants, le plus distrait pour le caresser, ta parole la moins réfléchie, tout était *vrai*. Si naturellement vrai qu'à l'inverse tout ce qui venait de moi me semblait contraint, artificiel, inutile. Je jouais à vivre, comme un comédien qui regarde le public en même temps qu'il agit. Toi, tu as toujours détenu la vérité, celle qui se vit et ne se dit guère, celle qui est amour. Tu aimes comme on respire ; moi, j'aurai toujours besogné : toujours aimé comme je respire en ce moment. J'étais « très intelligent » — mais c'est à toi que les enfants se confiaient, de toi seule qu'ils s'ennuyaient. Pourquoi m'auraient-ils aimé ? Mais pourquoi m'aimais-tu ?

(Il allait écrire « mon amour », mais il demeura, le crayon haut ; sa main tremblait, il ferma les yeux et secoua la tête.)

... Toi seule as le droit d'écrire « mon amour ». Moi, *si j'avais su aimer, ç'aurait été toi* — voilà tout ce que j'ai le droit d'écrire, voilà mon seul bagage. Car je sais que seul comptait, seul comptera l'amour. Je le comprends cette nuit où je suis seul et déjà loin : trop tard. Non, peut-être pas puisque tu liras ces lignes et que je n'ai jamais rien écrit de plus vrai. J'ai mal ; et pourtant je voudrais avoir encore plus mal, beaucoup plus mal : payer, payer. C'est encore une idée d'homme. Je pars les mains vides. Demain matin tu joindras des mains vides — mais c'est vers toi que j'avance, mon amour. Quand Isabelle est née et que je n'avais le droit de vous regarder que derrière une vitre... Jamais je ne t'ai autant aimée que derrière cette vitre, essayant de lire sur tes lèvres. Ecoute, c'est cela qui va m'arriver de nouveau : t'aimer enfin, *mais derrière une vitre*. Oh ! mon petit enfant, jusqu'à quand, jusqu'à quand ?

(Il se mit à pleurer mais calmement cette fois. Une source intarissable, et il y trouvait une espèce de joie et de rassurement. Comme il essayait de reprendre son souffle, des sangles lui parurent se resserrer sur sa poitrine : le Temps le rappelait à l'ordre.)... Je ne me demande même pas ce que vous allez devenir sans moi : j'ai tout prévu, pour toi, pour les enfants. Jusqu'au bout j'aurai rempli mon devoir d'homme, de fourmi. Tout prévu sauf qu'à cet instant-ci, seul dans une chambre blanche, je comprendrais sans recours que j'ai manqué ma vie, ta vie, notre vie. Je me réchauffais à ton feu tranquille : j'apportais du bois, toi seule étais la flamme. J'essaie de me persuader que tous les hommes sont semblables, qu'aucun autre n'aurait su t'aimer vraiment : te préférer à la réussite, à l'argent, te préférer à lui. Mais c'est faux ! je t'aurais empêchée de vivre et d'être aimée. Pourtant ce n'est pas toi qui resteras seule, c'est moi qui le suis. Tu seras toujours enveloppée de ta chaleur ; j'ai froid, je meurs de froid. Tu es la vie ; je prenais toute la place, je faisais de l'écume, je n'étais qu'un rocher dans le fleuve. A quoi sert un rocher ? Quelquefois, je te regardais dormir et je t'enviais : tu avais partie liée avec Dieu, visiblement. Moi, je devais m'agiter sans cesse pour surnager. A présent je suis au bout ; je vais couler ; et quel chemin ai-je parcouru ? Il me semble que je n'ai jamais cessé d'être ce petit garçon qui avait peur des grands...

Je n'ai jamais eu confiance qu'en toi, mon amour. Tous ces hommes, leurs entreprises, leur argent, leurs honneurs, leurs combats, je les déteste. Ils m'ont forcé à vivre en te tournant le dos. « Si nous partions tous les deux ? » — Oh, je t'entends le dire... Pour moi, ce n'était qu'une phrase. Je répondais : « Partir où ? » —

« Ah, voilà... ». Tu riais, mais les yeux brillants. Une phrase jamais prise au sérieux ; il n'y avait pourtant qu'elle de sérieux dans tout ce fatras de ma vie qui se détache de moi en ce moment, qui coule au fond. J'ai froid. « Si nous partions tous les deux... »

Mon amour, mon amour : ces mots que je t'ai dits et écrits toute ma vie, je ne les pense vraiment qu'aujourd'hui, en plein désespoir — non pas de mourir, mais de ne les penser qu'aujourd'hui. Mourir : c'est un verbe avec lequel nous jouons à cache-cache depuis des mois. Mourir, aimer, mourir, aimer : plus que ces deux mots qui émergent, mystérieusement liés. On ne peut mourir sans peur que si l'on a vraiment aimé. ON NE PEUT MOURIR SANS PEUR QUE SI L'ON A VRAIMENT AIME.... Oh, je t'aime, pour la première fois... Adieu, pardon, je t'aime, je t'aime, je t'aime...

# LE DRAPEAU BLANC

SA Majesté impériale avait demandé qu'on ne la prévînt que lorsque la délégation serait en vue. Il n'eût pas été convenable, puisque c'était Sa Majesté royale qui demandait l'entrevue, que le solliciteur n'arrivât pas le premier et ne dût attendre quelques instants.

— Qu'est-ce que Louis peut bien me vouloir ? se demandait Charles-Adolphe avec plus d'anxiété que de curiosité. Nos armées s'affrontent demain à l'aube. Ce n'est pas la première fois ! Ni la dernière, sans doute, ajouta-t-il d'un ton las. Ah ! la niaiserie de tout cela... S'en serait-il avisé, lui aussi ? Cher Louis...

Il marchait, les mains jointes dans le dos, le regard au sol — une attitude que l'Europe entière connaissait et que ses proches redoutaient. « L'Empereur est contrarié... » Il marchait en rond dans sa tente de campagne en se parlant à mi-voix. Il savait depuis longtemps qu'il était l'homme le plus seul de tout l'empire. « A qui puis-je vraiment parler ? Je veux dire sans peser mes paroles ni veiller à chaque expression de mon visage ? Même mon petit-fils commence à me craindre... »

On vint l'avertir que l'avant-garde de Sa Majesté royale...

— Bien, bien, j'arrive.

Ses officiers d'ordonnance l'attendaient à cheval, sabre au clair ; ses écuyers l'aidèrent à monter sur sa bête et ils s'éloignèrent, tous les trois, suivis d'un demi-escadron de lanciers gris.

Le spectacle qui l'attendait le stupéfia. Eclairés par les feux du bivouac qui tiraient d'eux des éclairs et des ombres fantasques, huit dragons sans armes tenaient dans leur droite au bout d'une pique un étendard blanc qu'ils inclinèrent à terre à la vue de l'empereur. Mais, au milieu d'eux, sur un cheval tellement sombre et immobile, qu'il paraissait de bronze, un évêque botté, ganté, chapeauté d'écarlate brandissait à deux mains, devant son visage qu'elle dissimulait une immense croix d'or.

— Pied à terre, messieurs, commanda l'empereur à mi-voix.

Il donna l'exemple et, se découvrant, s'agenouilla. « Qu'est-ce qui lui prend de se faire précéder par Dieu ? se demandait-il en baissant la tête et en se signant. Son père, ce vieux bigot, j'aurais compris — Mais Louis ?... Il est incapable d'une comédie. Alors, que se passe-t-il ? Ah ! que tout cela est contrariant... »

Il ne pouvait s'empêcher de songer que, dans quelques heures, ces lanciers gris dont les chevaux déconcertés s'ébrouaient derrière lui, ces lanciers gris et quelques milliers d'autres soldats se lanceraient, croix ou pas, sur les Dragons, les hussards et les fantassins du roi Louis, du seul souverain d'Europe en compagnie duquel il se sentît bien.

Quand il releva les yeux (déjà, ses deux officiers l'aidaient à se mettre debout), les cavaliers au drapeau blanc et le prélat couleur de sang s'étaient écartés et il ne vit plus que Sa Majesté royale qui s'avançait vers lui, à pied, les bras tendus.

— Charles-Adolphe !

— Louis !

Ils se retinrent de s'embrasser ; ce geste *inconvenant* (c'était l'expression de l'empereur et elle réglait toute la Cour), ce geste inconvenant aurait fait le tour du bivouac. « Enfin quoi ! on se bat demain, oui ou non ? »

Chevaux et cavaliers se retirèrent aux confins de l'ombre. On y devinait leur présence attentive à ces lueurs et à ces rumeurs qui, si assourdies ou aveugles qu'elles se voudraient, permettent de déceler une patrouille nocturne. Les deux souverains se dirigèrent vers la tente dont Sa Majesté impériale, d'un geste, fit sortir tout le monde. « Même moi ? » manifestait le visage scandalisé de Von Offenstaedt. — Même lui.

— Alors, Louis ! (Il l'observa d'un œil fraternel et fut fâché de le trouver vieilli.) Vous avez des soucis ?

— Avant tout, celui de cette ambassade insolite et pour laquelle je ne sais comment m'excuser auprès de vous, Charles-Adolphe !

— Le plus insolite était l'évêque, fit l'empereur en essayant de sourire. C'est donc si grave ?

— Rien n'est plus grave (et rien n'était plus grave que le visage du roi en prononçant ces mots) ; et cependant, Charles-Adolphe, me voici comme un enfant, ne sachant plus que dire...

L'autre fit signe de prendre un siège et ne s'assit lui-même qu'ensuite, ou plutôt il se laissa lourdement tomber sur son lit de camp.

— Vous aussi, vous êtes las de tout ceci, murmura le roi qui l'observait. (Et, comme l'autre ne répondait rien :) N'est-ce pas ? insista-t-il.

— Que nous en soyons las ou non ne change rien à notre état, Louis. Ni à nos *charges,* ajouta-t-il en relevant la tête — mais, à son insu, ses épaules s'étaient affaissées comme sous le seul poids de cette évocation.

— Eh bien non ! fit le roi en se levant aussi vivement qu'il le pouvait et en arpentant, bras croisés, le tapis de tente. Non, Charles-Adolphe, voici deux jours, deux nuits surtout, que j'y pense et que je trouve absurde — absurde, répéta-t-il d'une voix presque criarde, ce qui se passe en ce moment, ce qui va se passer demain.

— La guerre ? Absurde ?

— Celle-ci, oui. C'est la troisième fois...

— Non, coupa l'empereur qui avait déjà compris, la cinquième en comptant votre père et le mien !

— La cinquième fois que se déroulent ces mêmes « événements », lesquels n'en sont plus que pour les malheureux habitants de cette frontière, qu'ils soient vôtres ou miens.

— Ni vôtres ni miens, Louis : des deux côtés ils nous maudissent l'un et l'autre, soyez-en sûr !

— Et pourtant demain, à l'aube, une fois de plus, nous allons lancer parmi eux nos troupes — dont la plupart sont des mercenaires qui ne parlent ni votre langage ni le mien...

— Et dont certains, par bataillons entiers, nous ont trahis l'un ou l'autre, au plus offrant !

— Il s'en mourra demain dans les deux camps : et, bien que je ne les estime guère et qu'ils trouvent la chose toute naturelle puisqu'ils sont payés pour cela, je m'en sens responsable, Charles-Adolphe.

L'autre haussa les épaules et fit la moue.

— Non, non ! poursuivit le roi, cela n'est pas une fatalité, cela ne fait pas partie de nos « charges ». Rien ne vous oblige à annexer les Deux Evêchés, qu'on me persuadera de vous reprendre avant cinq ans alors que je vous en ferais volontiers cadeau sur-le-champ, tant ces princes-prélats, à force de passer d'un royaume à l'autre, sont devenus exigeants !

— Et si ce sont vos armées qui l'emportent demain, Louis ?

— Alors, les géographes de la Cour devront — mais pour combien de temps ? — inclure le Meklenstein dans nos « frontières naturelles » ; et moi je devrai supporter les extravagances et les jérémiades du grand-duc redevenu marquis. Ah non ! gardez-le !

L'empereur se mit à rire. « Avec qui d'autre pourrais-je parler aussi librement ? se demandait-il. Même pas l'impératrice — surtout pas l'impératrice ! »

Le voyant rire, le roi crut l'avoir ébranlé et vint s'asseoir à son côté.

— Quoi ! Les lancer une fois de plus dans la bataille, demain à la même heure, dans le même ordre, suivant le même plan...

— Pour ça non, Louis ! Le vieux maréchal de Turkenheim en a préparé un tout neuf, dont il me réserve la surprise. C'est sa dernière campagne, vous savez. Je... je ne peux guère l'en priver, ajouta-t-il avec gravité : soixante années de loyaux services...

— Ce n'est tout de même pas une raison suffisante !

— Mais, Louis, fit doucement l'empereur en posant sur la manche bleu et or cette main qui, elle aussi, se faisait vieille, vos deux lieutenants-généraux, que diraient-ils eux-mêmes si vous les frustriez de ce combat ?

— Quand le roi décide...

— Bien sûr, bien sûr, mais je suis certain qu'ils propageraient dans toute l'armée, et peut-être même jusque chez vos alliés, des rumeurs... inconvenantes.

— Eh bien, cela me rendrait service : tout ce petit monde a besoin qu'on lui mette le mors. A commencer par le dauphin, qui possède plus de galons que d'esprit et croit qu'on écrit l'Histoire avec ses bottes !

— Certains de nos prédécesseurs l'ont fait, Louis !

— Combien de temps cela a-t-il duré ? Et combien de morts cela aura-t-il coûté ?

— Ne vous plaignez pas trop de devoir laisser un jour la place à un prince pétulant, fit l'empereur d'un ton las. Vous savez quels soucis me donne François-Charles, sa pusillanimité, sa... Dieu me pardonne ! sa veulerie en certaines occasions. C'est pourquoi je l'ai forcé à nous suivre cette fois-ci, à tenir sa place dans les combats de demain.

— Rien que pour cette raison, ma démarche est vaine, fit amèrement le roi. Mais quelle absurdité : vous traînez ici de force votre archiduc ; moi j'enjoins au dauphin de rester à la Cour.

— S'il n'y avait que l'archiduc...

— Le vieux maréchal, oui, je sais.

— Il y a pire, Louis : cet enragé cardinal d'Augsburg dont l'impératrice s'est entichée parce qu'il est né le même jour que son père — quelle raison décisive, n'est-ce pas ? Elle a intrigué à Rome, dans mon dos, pour qu'on lui octroie le chapeau. Elle en a fait son confesseur — et moi, pour couper court à toutes sortes de rumeurs déplaisantes (il voulait parler de ses aventures galantes), j'ai trouvé convenable d'en faire aussi le mien.

Ce calcul enfantin avait fait rire sous cape toutes les Cours d'Europe.

— Qu'est-ce que le cardinal ?...

— Le devoir, Louis, le devoir d'un souverain ! Lisez la Bible : on s'y entre-tue sur l'ordre même de l'Eternel, « Dieu des Armées ». Le cardinal, qui la lit pour deux, m'assomme de remontrances quand la paix dure trop longtemps à son gré. Et si moi je veux la paix avec l'impératrice, je ne peux pas renvoyer sans cesse le cardinal à son oratoire.

« L'autre le tient, pensa le roi : il ne l'absout de ses sottises qu'à de pareilles conditions, mais Charles-Adolphe a-t-il encore seulement la foi ? »

— Nous devrions bien échanger nos confesseurs, reprit-il d'une voix sourde. Le mien est un franciscain, pâle et maigre comme la mort, mais le seul saint que j'aie rencontré.

— C'est lui, fit vivement l'empereur.

— Comment cela ?

— C'est lui qui vous a imposé cette démarche, le drapeau blanc et la croix — c'est lui, n'est-ce pas ?

— Non, Charles-Adolphe. Sinon, je m'en retournerais le cœur léger : pénitence accomplie ! Non, mais c'est lui qui m'a persuadé, et je n'y puis rien changer désormais, que nos menées militaires sont absurdes et criminelles. Et c'est moi tout seul qui ai pensé — et je le pense toujours, ajouta-t-il fortement — que vous, Charles-Adolphe, mon frère, vous partagez ce sentiment...

— Je le partage, murmura l'autre, mais...

« Mais l'archiduc, mais le maréchal, mais le cardinal, songea le roi avec plus de pitié que d'irritation. Ah ! nous régnons tous trop longtemps... Il est vrai que nos successeurs, le temps qu'ils acquièrent cette expérience, qu'ils prennent enfin leurs distances avec eux-mêmes, se trouvent pareillement ligotés... Alors, est-ce donc sans issue ? »

— Louis, proposa doucement l'empereur après un long silence, voulez-vous que nous gardions cette démarche secrète ?

Cela signifiait assez qu'elle resterait sans suite ; n'eût-il pas été « inconvenant » d'en dire davantage ?

— Impossible, Charles-Adolphe : elle court déjà les bivouacs. Demain, la rumeur en aura gagné nos capitales.

— Alors comment l'interpréter, Louis ? Le roi en personne, le drapeau blanc, la croix...

Ils cherchèrent en silence.

— La Trêve de Dieu ! fit soudain le roi. Je suis venu vous demander que demain, à l'angélus de midi, les combats cessent, une heure durant, afin que chacun relève ses blessés.

— Va pour la Trêve de Dieu, dit l'empereur en riant. (« A cette heure-là, pensa-t-il, si le plan du vieux maréchal vaut quelque chose, les Deux Evêchés seront nôtres... ») Ainsi, votre franciscain ne vous en voudra pas trop !

— Et cela fermera la bouche à votre cardinal.

Comme ils allaient sortir de la tente :

— Louis, dit l'empereur en le serrant dans ses bras, je suis sincèrement désolé. Demain, durant cette « absurdité », promettez-moi de ne pas exposer votre personne : elle m'est précieuse.

L'escorte s'était reformée et attendait dans la nuit. Le roi remonta à cheval ; il se sentait très lourd, très las. Il fit de la main à l'empereur un geste presque enfantin.

L'autre regarda se fondre dans les ténèbres les étendards blancs, l'évêque rouge, les dragons bleu ciel encadrant cet homme déjà vieux, déjà gros, son frère, comme des gendarmes un prisonnier.

Son valet de chambre, les officiers de garde et de service, ainsi que Von Offenstaedt, l'attendaient dans sa tente. Personne n'eût osé poser une question.

— Offenstaedt, dit soudain l'empereur tandis qu'on le déshabillait, cherchez-moi donc dans ce livre, là... Non, le petit vert et or, oui... Feuilletez-le et trouvez-moi la phrase que j'ai marquée d'une croix rouge...

Il le suivait des yeux. Dès qu'il pressentit que l'autre avait trouvé la page :

— Allons, vite, donnez-le-moi !

L'empereur écarta son valet et s'assit, sur son lit, la veste à demi dégrafée, une seule jambe débottée. Il lisait et relisait ces paroles : *Aucun souverain ne peut régner innocemment...*

Offenstaedt aussi l'avait lue au passage et, sans l'avoir bien comprise, il songeait : « Qu'est-ce que l'autre a bien pu venir lui proposer cette nuit ?... Ah, ce roi est un diable ! »

# LE DOS ROND

— Ce que j'ai à te dire...

Il s'était assis, sur l'injonction de sa mère, et il la regardait marcher, autant qu'une statue puisse marcher. Statue de la Douleur ? Non. Pas plus que de la Résignation. Statue du Deuil, de noir vêtue depuis... — Mais justement son apparence même récusait le temps. De noir vêtue depuis toujours, pour ses deux fils. Depuis la mort de leur père : de noir et de secrets, cuirasse sans défaut — et ce salpêtre des larmes séchées qui en scelle la source à jamais.

— Ce que j'ai à te dire, Henri... J'ai tardé autant que je l'ai pu. J'ai même longtemps espéré m'en dispenser. Comme si les enfants pouvaient rester en état de grâce. Comme si les garçons demeuraient des petits hommes, ne devenaient pas des hommes. Mais aujourd'hui, par ta faute...

— Par ma faute ?

— Mettons : de ton fait, je ne peux plus différer. Ton père, commença-t-elle d'une voix qui se contraignait.

Mais Henri savait déjà que c'était de lui qu'on allait enfin parler : de ce mystérieux héros (« Un médecin assassiné par des inconnus le jour de la Libération ») qui demeurait le gardien invisible de ce musée désaffecté où son frère et lui avaient grandi.

— Ton père a cru jusqu'au dernier jour que les Allemands gagneraient la guerre.

— Les Allemands ? Mon père ?

— Ne m'interromps pas, poursuivit-elle sans changer de ton. Je sais bien qu'avec vingt années de recul cela peut sembler démentiel, et peut-être cela l'était-il. Mais ton père l'a cru. Il n'a jamais cessé de le croire. Sans arrière-pensées, ni calculs, ni parti pris ; il le croyait, voilà tout. Il ne s'était guère compromis qu'en paroles, et encore ! Mais dans une petite ville comme la nôtre... Et puis, les gens d'en face, les Quittard, les Sambin, les autres médecins moins doués que lui : tous ceux qui avaient « choisi l'autre camp », comme ils disaient, mais sans en assumer un seul risque, tous ceux-là... Mais tu ne peux pas comprendre !

— Si, maman.

— Non. Ni toi ni personne aujourd'hui. Car, depuis, les journalistes et les hommes politiques se sont saisis de cette épave. Il s'agissait de la rendre « présentable », comprends-tu ? De redistribuer les rôles afin que ce sinistre mélo devienne une tragédie, digne de l'histoire de France !

Henri n'écoutait plus sa mère, ne la regardait plus vraiment : *il assistait à elle.* Qui était donc cette actrice inconnue de lui ? De qui était ce texte, et pour qui le jouait-elle avec une pareille véhémence ? Il manqua se lever et quitter cette pièce. Cette « pièce » aux deux sens du mot : ce spectacle qui ne le concernait pas, cette chambre où il respirait si mal.

— Ils l'ont trouvé mort le 28 août, le jour même de l'entrée des Américains dans cette petite ville qui mendiait déjà un chewing-gum et des cigarettes, et qui cherchait déjà qui dénoncer à qui...

Elle s'arrêta de marcher. Depuis le début, elle arpentait la pièce, le regard vide, d'un pas de somnambule. Elle s'arrêta enfin et plaça sa main devant sa bouche comme pour s'empêcher de vomir.

— Maman, risqua le garçon, je sais déjà tout cela...

— Tu ne sais rien, trancha-t-elle sans même lui jeter un regard. Personne n'a jamais rien su. Sauf votre père, bien sûr ; et moi parce que j'ai tout deviné. Une balle dans la tête, l'arme à deux pas du corps, et pas une

193

seule empreinte. C'est ainsi qu'ils l'ont trouvé, non loin de l'église. Sa trousse noire de médecin tellement serrée dans sa main gauche qu'on ne parvenait pas à l'en retirer. Trousse noire, gants noirs, cravate noire : en deuil de lui-même, comme toujours.

« Comme vous-même ! » pensa le garçon. D'où lui venait cette certitude bizarre (inavouable, en tout cas) que ce n'était pas de son mari, mais d'elle-même que sa mère portait le deuil depuis vingt ans ?

— C'est ainsi qu'ils l'ont trouvé, sur le chemin du domicile d'un de ses malades, la vieille M^{me} Arrault, probablement. Car il n'avait jamais interrompu ses visites durant toutes ces années, de nuit comme de jour !

De cette conscience professionnelle, dont la région tout entière conservait un souvenir légendaire, elle n'avait pas parlé avec fierté mais avec une sorte de rancune. « Il... » D'habitude, elle ne disait jamais aux garçons « votre père », toujours *il*. D'ailleurs, leur avait-elle jamais vraiment parlé de lui ? Dans cette pièce — son cabinet de travail — on n'avait pas déplacé un seul objet. La fameuse trousse noire, après avoir traîné des mois dans les placards du Palais de Justice parmi les pièces à conviction, avait repris sa place, sur le tabouret tendu de velours usé, à portée de main. Pieusement.

— Ils sont venus me chercher ici. J'avais ma robe blanche, ajouta-t-elle sur un tout autre ton. Ils bre-douillaient : ils me parlaient « d'accident »; et puis, chemin faisant, et d'une voix de plus en plus enrouée, « d'accident grave... très grave même... ». Les hommes prennent toujours les femmes pour des enfants. Moi je me demandais seulement comment ils pouvaient ne pas entendre mon cœur battre... « Pourvu que je ne pleure pas devant eux ! » Durant tout le trajet, c'était ma seule pensée.

— Mais, maman, vous ne pouviez pas vous douter que...

— J'en étais sûre. Cette mort était une surprise pour toute la ville, sauf pour moi. Elle était déjà sur place, toute la ville ! Enfin, ceux qui ne « fraternisaient » pas avec les Américains et pour qui la liberté aurait à jamais la saveur du Coca-cola ! Mais les autres étaient tous là, figés de stupeur, aussi immobiles que ce corps étendu... Le Dr Corvon, assassiné ! Ils n'acceptaient pas cette évidence. Un homme que tout le monde aimait, à qui tant de familles devaient la santé, et plus d'une, la vie... Assassiné ! Et le jour de la libération ! Lui seul, alors que, dans la région, des centaines de partisans accumulaient depuis quatre ans tant de haines, de promesses de mort... Dont aucune ne serait tenue, d'ailleurs ! Car il n'y eut aucun règlement de comptes dans notre ville : pas de tribunal populaire ; seulement une ou deux femmes tondues. Et puis des dénonciations, bien sûr, qui prenaient la suite de celles à la *Kommandantur*... Non, reprit-elle lentement, tout s'est passé comme si la mort du Dr Corvon avait vidé d'un coup l'abcès, tous les abcès. « La mort inexplicable du Dr Corvon... »

Elle eut un petit rire que son fils détesta. Il leva les yeux sur elle mais lui vit un visage si douloureux que, geste dérisoire, il tendit la main vers cette étrangère vêtue de noir qui ressemblait à sa mère comme un arbre mort ressemble à un arbre d'hiver.

— Mais enfin, maman, se força-t-il à dire, qui avait tué notre père ? Vous ne nous l'avez jamais dit. Ne l'a-t-on jamais su ?

— C'est aussi la question qu'ils se sont posée sans fin, les policiers, le juge d'instruction... La question qu'ils m'ont posée sans relâche : qui, qui avait tué ? Allons, j'avais réussi à ne pas pleurer devant eux ; ils ne pensaient tout de même pas que j'allais leur répondre !

— Mais vous le saviez ? demanda le garçon d'une voix blanche.

— Dès le premier instant. Non, reprit-elle durement, *avant même que le coup fût tiré*.

Elle marcha quelques pas en silence. Puis, de nouveau, ce petit ricanement qui fit tressaillir le garçon.

« Je ne l'aime pas, se dit-il presque malgré lui. Je ne l'ai jamais aimée... » Jamais non plus il n'avait osé formuler cette pensée. Il en éprouva de la honte. « Je suis fier d'elle, ajouta-t-il très vite — oui, fier d'elle (ce n'était même pas vrai : elle l'effrayait, voilà tout). Mais je ne l'aime pas. Pourquoi ? Parce qu'elle-même ne nous aime pas, ne nous a jamais aimés ! »

Son frère et lui avaient toujours évité de semblables confidences ; mais l'aîné était sûr que l'autre éprouvait de son côté le même vide, la même absence. Des orphelins, de père et de mère... Certes, leur mère les avait élevés irréprochablement... « Voilà, se dit-il, elle est irréprochable. Epouse, veuve, mère irréprochable, mais morte. Morte depuis... — Sûrement depuis l'instant où les autres sont venus la chercher en lui parlant " d'accident grave, très grave même... ". Cette femme en noir, qui marche devant moi, et qui est la personne la plus respectée de la ville, est morte. Elle seule, paraît-il, sait qui a tué notre père ; mais, elle-même, qui l'a tuée ?... Ah ! poursuivit-il (sans écouter ce que sa mère continuait d'énoncer d'une voix si monotone), c'est pour cette raison que je veux partir d'ici. J'étouffe dans ce cimetière. J'ai réussi mon concours, mais je ne postulerai aucun poste. Je me ferai élire et je quitterai cette petite ville que je déteste. (Il venait de poser sa candidature au Conseil général : le plus jeune de la liste.) Elire sans peine ! Le fils du Dr Corvon est un notable dans cette région... »

Si sa mère l'avait observé, elle l'aurait vu hausser les épaules. Il lui ressemblait, en ce moment : un visage désenchanté, mort à sa façon, lui aussi. Mais aucun des deux ne regardait ni n'écoutait l'autre.

« Une fois élu, je postule pour Angoulême ; on ne peut plus me refuser cette affectation. Et puis ce seront les législatives. A moi de savoir monter d'ici là — mais je saurai ! Dans cinq ans je vivrai à Paris, loin d'ici, loin d'elle. Et je tirerai le petit hors de ce cimetière, dès que je le pourrai... »

Il se redressa ; il se sentait déjà libre, libéré plutôt. Il aspira profondément, comme un homme qui reprend vie, mais l'air même de cette pièce lui parut irrespirable.

— Enfin quoi, maman, coupa-t-il avec une brutalité qui lui valut, de sa mère, un regard scandalisé, enfin quoi, qui a tué notre père ?

— Tu ne m'as pas écouté ?

— C'est vrai, je suivais mon idée.

— Je sais bien que tu « suis ton idée ». C'est même pourquoi j'ai décidé de te parler aujourd'hui. Mais, cette fois, tu vas m'écouter.

— Je vous demande pardon, maman.

— Qui a tué votre père ? Ah ! Ce fut une belle imposture, crois-moi ! *Car chacun pensait que c'était l'autre.* Le clan Sambin accusait en secret le clan Quittard, et réciproquement. Cela aurait tellement arrangé leurs affaires ! Les résistants chrétiens auraient vendu leur âme pour tenir la preuve que l'assassin était bien un F.T.P.

— Un quoi ?

— Un communiste, si tu préfères. C'est qu'ils jouaient le pouvoir à quitte ou double, tous ! Depuis des années ils pensaient au jour où ils pourraient enfin...

— Tout de même, maman, la Résistance c'était autre chose ! Tous ces combattants du maquis...

— Eux, oui, mais qui se souvient de leurs noms ? Ceux-là ont rangé leur fusil et repris leurs outils. Ils avaient fait ce qu'ils avaient pu pour libérer le pays et maintenant il était libre — cela leur suffisait. C'est à cela qu'on reconnaît les héros : ils paraissaient tout étonnés qu'on leur octroie des décorations. Il y avait un travail à faire et ils l'avaient fait, voilà tout ! — Mais pour les Quittard, les Sambin, le secrétaire de la section démocrate-chrétienne ou celui de la cellule communiste, c'était autre chose ! Et même, pour beaucoup d'entre eux, le vrai combat commençait seulement.

— Mais pourquoi les laissait-on faire ?

— Qui les en aurait empêchés ? Ceux qui criaient « Vive de Gaulle » après avoir chanté « Maréchal, nous voilà » ? Car c'étaient les mêmes, tu peux m'en croire : je les avais observés durant toutes ces années, et ils le savaient bien. C'est *aussi* pour cela qu'ils me respectaient : ils avaient peur de moi. (« Comme nous ! » pensa le garçon.) Je n'étais pas seulement la veuve de leur « martyr » ; j'étais celle qui savait et qui se taisait.

— Celle qui savait aussi qui avait tué le Dr Corvon, fit lentement le garçon. Alors, maman, qui ? Allez-vous me le dire, à la fin ?

De nouveau, elle s'arrêta d'arpenter la pièce ; elle se planta devant lui et le dévisagea pour la première fois, de haut. Il ne se sentait pas assis mais écrasé dans ce fauteuil, prisonnier. Statue ténébreuse, elle occultait toute la lumière ; le soir venait-il vraiment de tomber ?

— Oui, je vais te le dire, Henri ; et cependant tu ne le répéteras à personne.

— Mon frère...

— Je me réserve de lui parler, mais seulement si cela devient nécessaire.

— Ce l'était donc devenu pour moi ?

— Oui, répondit-elle sourdement, ta vie entière en dépend.

— Mais...

— Tu as vingt-cinq ans, je le sais, et je n'ai plus mon mot à dire.

— L'avez-vous jamais dit ? cria-t-il en la regardant en face.

Ce visage de pierre lui parut se désagréger, devenir érodé, poreux. Il crut voir s'opérer sur cette face, mais en un instant, le travail aveugle des siècles sur les bustes de marbre — et il en éprouva de la honte. « De quel droit faire des reproches ? Que sais-je d'elle ? Peut-être nous aimait-elle à sa manière ? Ou encore n'était-elle plus capable d'aimer quiconque ? » Il balbutia :

— Je voulais seulement dire, maman...

— Peu importe. (Le marbre dur avait repris possession du visage.) Oui, peu importe : c'est trop tard. D'ailleurs, ajouta-t-elle à mi-voix, tout n'est-il pas toujours trop tard ? C'est la malédiction humaine : *Trop tard.*

— Jamais, maman, jamais !

Il aurait voulu l'embrasser. Quand avait-il senti ces lèvres minces sur ses joues pour la dernière fois ?

— Si, reprit-elle d'une voix altérée. J'ai cru qu'il suffirait de te parler aujourd'hui, mais déjà c'est trop tard, j'en suis sûre.

— En voilà assez, maman ! fit-il en se levant. Qui a tué mon père ? Pourquoi dois-je être le seul à le savoir ? Et pourquoi maintenant ?

— Parce que tu as décidé de te présenter à je ne sais quelle élection. Ne dis pas non, je le sais !

— Eh bien ?

— Parce que tu veux, à ton tour, t'engager dans le détestable chemin des hommes, celui où ton père a trouvé la mort, et moi aussi, *doublement* ! Parce que tu t'apprêtes, à ton tour, à épouser un métier et non pas une femme ! A préférer les idées aux êtres, à sacrifier le cœur à l'esprit, à ne plus jamais regarder avec les yeux des autres, à ne plus jamais regarder les yeux des autres !

— Mais mon père...

— Ton père a sauvé des centaines de vies, c'est cela ? Mais c'est seulement parce qu'il voulait être le plus fort, avoir raison de la maladie, avoir raison tout court, avoir toujours raison.

— C'est cela qu'on appelle, un bon médecin !

— Peut-être, fit-elle d'une voix blanche. Je ne veux pas rouvrir cette discussion : il y a vingt ans que je ne discute plus, vingt ans que je suis une femme morte.

La honte, cette fois encore, le submergea.

— Maman, je vous demande pardon : nous n'avons jamais partagé vraiment votre chagrin.

Elle retira la main qu'il venait de saisir entre les siennes, main maigre et froide, vraiment celle d'une femme morte.

— Non pas morte de chagrin, Henri, mais d'humiliation. Personne n'a tué ton père. Il s'est suicidé.

— Suicidé ! Mais pourquoi !

— *Parce qu'il s'était trompé.* Parce que les événements lui donnaient tort et, cette fois, comment avoir le dernier mot ? Alors plus rien n'a compté : ni vous ni moi. Ni même son métier, son « sacerdoce », comme ils l'ont répété sur sa tombe.

— Mais comment n'a-t-on pas...

— Deviné qu'il s'agissait d'un suicide ? C'est que chacun se sentait tellement coupable de ce meurtre qu'en secret il en accusait l'autre. Votre père les gênait tous : ils lui prêtaient les mêmes ambitions que les leurs ! Ils ne pouvaient pas se douter qu'il n'en éprouvait qu'une seule mais dévorante, je te l'ai dit : avoir raison. Il n'y avait que son propre jugement qui lui importait ; ces ambitieux lui semblaient dérisoires. On croit que ce sont les ambitieux qui font le malheur du monde — mais non ! ce sont les orgueilleux. Votre père...

Le garçon se révolta :

— Notre père avait mis son « orgueil » au service des autres. Si tous en faisaient autant...

— Tu parles comme une oraison funèbre. Dès qu'un homme meurt, il s'agit de transformer ses vices en qualité.

— Maman !

— Ses vices, répéta-t-elle avec force. Chaque fois qu'un défaut, quel qu'il soit, tue l'amour en vous, c'était donc un vice. Votre père n'a pas mis son orgueil au service des autres ; c'est l'inverse : il a tout mis au service de son orgueil. Cela en a toujours imposé aux hommes. Pas aux femmes, bien sûr ! Mais quand ont-elles le droit d'élever la voix ? Même pas après qu'il est trop tard ! Si j'avais été chargée de l'éloge, au cimetière...

Le garçon sentit que l'irréparable allait être prononcé ; il étendit vivement la main.

— Vous m'en avez assez dit, maman ; assez, en tout cas, pour me faire comprendre...

— Mon pauvre enfant, commença-t-elle (mais ces mots étaient prononcés sans aucune tendresse), mon pauvre enfant, qu'auras-tu retenu de tout cela ? Que ton père est mort de sa propre main, avec assez de mise en scène pour faire croire à un assassinat, *pour que je croie moi-même à un assassinat.*

— Il voulait vous épargner...

— Il m'a tuée, Henri : tuée plus sûrement que lui-même. Et plus tôt : dès l'instant où il est sorti de cette maison sans un mot d'au revoir, sans un geste. Cela faisait sans doute partie de son plan : pour que je puisse survivre tranquille, respectée. Ses comptes en règle — c'était aussi l'une de ses hantises. Un homme irréprochable, Henri, « un Juste »... Maudits soient les Justes !

— Maman !

— Maudits soient leur fameux honneur, leur courage, leur devoir — ou plutôt ce qu'ils appellent ainsi. *Ce que tu appelles ainsi,* Henri, et à quoi tu t'apprêtes à sacrifier non pas ta vie — ce serait ton affaire — mais celle des autres. C'est cela que je voulais te dire à temps, Henri, rien d'autre : il n'y a que l'amour qui compte.

Il se leva d'un bond, se dressa tout contre elle. Jamais il ne lui était venu à l'esprit qu'il fût plus grand qu'elle.

— Que l'amour qui compte ? Il y a vingt ans que vous auriez dû nous le faire comprendre, nous le faire vivre ! Vous ne nous avez jamais aimés !

Il venait de crier.

— On ne peut pas donner ce qu'on ne possède plus, balbutia-t-elle.

— Jamais aimés, poursuivit-il, jamais aimé personne, sans doute.

— Oui, reprit-il en s'éloignant d'elle comme si cette étrangère fût contagieuse, qui avez-vous jamais aimé ?

— Mais lui, lui justement ! Tu n'as donc rien compris ?

— Il y a vingt ans que vous le croyez, que vous feignez de le croire, que vous le faites croire à toute la ville.

A son tour, elle dévisagea cet inconnu qui lui parlait et qui, en cet instant, ressemblait trait pour trait au Dr Yves Corvon. Elle le dévisagea et le détesta, *lui aussi.*

— Vous n'avez jamais quitté votre robe noire. Depuis vingt ans, vous êtes déguisée en veuve, en mère, en héroïne... « Il n'y a que l'amour qui compte », pour vous ? C'est vrai : l'amour de soi. Vous n'avez jamais aimé que vous-même.

— Comme lui !

— Comme lui. Voilà de qui nous sommes les enfants, mon frère et moi. Et vous venez aujourd'hui me faire la leçon ? En grand mystère, avec mise en scène à l'appui, vous aussi ? Après vingt ans, une leçon que vous-même n'avez jamais sue !

Il l'écarta de la main, sans aucun égard. Cet épouvantail, cet obstacle indu, cette statue creuse, il l'écarta d'une main qui la touchait pour la dernière fois, il en était sûr. Parvenu à la porte de ce musée qu'il ne reverrait jamais non plus, il fit cependant volte-face. Sa mère devait redouter ce regard puisqu'elle-même s'était tournée vers la fenêtre. Henri demeura figé par la surprise ; il se demandait ce qui avait pu à ce point changer en elle, faire d'elle, d'un coup, une autre créature. Et soudain il comprit — et cela l'effraya si fort qu'il s'enfuit : pour la première fois, elle avait le dos rond.

Il se retrouva au coin de la rue et de l'avenue Jean-Jaurès. Quelques passants l'observaient hypocritement, et lui-même s'avisa qu'il haletait ; qu'il avait dû courir.

Tandis qu'il reprenait son souffle, il observa d'un tout autre œil cette plaque bleue et blanche devant laquelle, tant d'années durant, son frère et lui, sur le chemin de l'école, n'étaient jamais passés sans redresser le buste :

RUE DU DOCTEUR YVES CORVON
MARTYR DE LA LIBÉRATION
(1912-1944)

Mais, presque du même regard, il aperçut l'affiche jaune et noire dont quatre exemplaires étaient apposés côte à côte. Son nom s'y lisait, le premier, en lettres avantageuses :

HENRI CORVON
*le fils aîné du héros et bienfaiteur de notre ville.*

Plus bas, on pouvait lire

ÉTIENNE SAMBIN, *universitaire*.
JEAN-PAUL QUITTARD, *vétérinaire*.

« Ils auraient l'âge d'être mon père, songea le garçon, mais c'est moi qu'ils ont placé en tête de liste. » S'il avait pu voir son visage en ce moment, il n'aurait pas reconnu son sourire.

# HORTENSE BIS

Du plus loin qu'elles pouvaient se souvenir, chacune d'elles se voyait habillée exactement comme sa sœur jumelle. Parfois, tout en leur imposant le même vêtement, les parents de telles enfants s'ingénient à établir quelque différence minime : un ruban d'une autre couleur dans leurs cheveux; ou, à la bague de leur quinze ans, des pierres qui, elles, ne soient pas jumelles. Mais Hortense et sa sœur Jacquemine n'avaient jamais cessé de servir de miroir l'une à l'autre; et, comme « Jacquemine » est un prénom peu mémorable, on appelait la seconde *Hortense bis*. Cette plaisanterie de son parrain (qui, par la suite, était devenue coutume) ne l'avait jamais froissée. Tous la considéraient implicitement comme la « cadette » — ce qui ne reposait sur rien, leur père ayant oublié et leur mère n'ayant pu vivre consciemment les circonstances difficiles de leur naissance. Légalement, Hortense-bis était peut-être l'aînée; personne ne le prouverait jamais, mais elle se *savait* la « seconde ».

Leurs parents étaient morts depuis longtemps; elles vivaient ensemble dans leur maison de naissance, chacune dans sa chambre d'enfant, ornée des mêmes gravures et bibelots que l'autre car, pour éviter une jalousie qu'en fait aucune d'elles n'avait jamais éprouvée, on leur avait, en toute circonstance, fait les mêmes présents. Ainsi menaient-elles, depuis quarante ans, une demi-vie — ou une double vie, comme l'on voudra.

De toute façon, elles n'en imaginaient pas d'autre, ce qui est une définition du bonheur.

La seule différence entre elles venait de ce que, dans leur petite ville, l'une enseignait le piano et l'autre le chant. Laquelle ? — Hortense-bis, je crois bien ; mais la plupart des habitants se trouvaient dans la même incertitude. Ils les voyaient côte à côte au marché, à la promenade, marchant spontanément du même pas, bras dessus, bras dessous (et n'était-ce pas toujours Hortense-l'aîné qui donnait le bras à l'autre ?), côte à côte à la messe, où leur similitude inspirait des distractions aux petits enfants. Quand on passait, le soir, devant leur maison, on entendait de la musique : Hortense-bis chantait, accompagnée par sa sœur. Lorsque la demie de 9 heures tombait du clocher sur le silence au dos rond de la petite ville, la lumière du salon s'éteignait ; peu après, celle des deux chambres jumelles s'allumait à l'étage. « Bonne nuit, ma chérie », se souhaitaient-elles ensemble après avoir dit la prière à haute voix, côte à côte, dans l'ancienne chambre des parents et devant leur lit de mort.

Elles avaient souffert de toutes les maladies bénignes de l'enfance, mais toujours en même temps. « Souffert » n'est pas le mot : ah ! le temps heureux des lits jumeaux, les longues heures côte à côte... C'est jours-là, elles ne faisaient plus qu'une, c'était vraiment le bonheur. Mais, depuis la mort de leurs parents, elles n'avaient plus jamais été malades ; ou plutôt, la maladie ne les atteignait plus ensemble. Cela désaccordait leur vie, et celle qui demeurait valide en souffrait encore plus que l'autre.

Au début de l'autre hiver, le virus de la grippe sut très bien, lui, distinguer l'une de l'autre des deux sœurs, et seule Hortense dut s'aliter. Le dimanche suivant, on vit donc Hortense-bis assister seule à la messe, et chacun la dévisagea comme si, depuis plus de quarante ans, il ne la connaissait pas. En fait, personne n'était très sûr de la reconnaître. « Mademoiselle votre sœur est souffrante ? » demanda plus d'un, sans trop savoir à laquelle des deux il s'adressait et sans oser le demander.

D'ailleurs, qu'est-ce que cela eût changé ? Seuls les parents des enfants qui prenaient des leçons de piano eurent l'assurance que Hortense était malade.

En sortant de la messe, tandis que Hortense-bis éprouvait, elle aussi, la sensation de voir tous ces visages pour la première fois et prêtait une oreille craintive à ces cloches toutes nouvelles, M. de Préval souleva son chapeau en passant près d'elle. « Il ne l'a jamais fait auparavant », songea Hortense-bis, et son cœur se mit à battre (ce qu'il n'avait, lui non plus, jamais fait aupravant). Elle s'éloigna un peu trop vivement, persuadée que, sous les sourcils grisonnants, le regard bleu clair la suivait. Elle se demandait anxieusement quelle « tournure » elle montrait et, comme son parrain lui avait dit, quelque trente ans auparavant, que son profil gauche était le plus gracieux, elle feignit avoir oublié quelque achat et tourna dans cette direction, mais sans se presser, cette fois.

— Quoi de neuf en ville ? lui demanda sa sœur à qui cette heure avait paru bien longue.

— Rien du tout, dit l'autre en détournant la tête. Plusieurs personnes m'ont demandé de tes nouvelles.

Elle observa son « aînée » d'un œil neuf et lui trouva le regard terne, le teint cendré, les rides marquées. « C'est la maladie », pensa-t-elle et elle courut s'assurer, dans le miroir de sa chambre, qu'elles avaient cessé de se ressembler. Elle parvint même à s'en persuader.

Elle redoubla de soins envers la malade, cette semaine-là. Nullement par inquiétude ou par affection, mais pour assurer inconsciemment sa supériorité et, pour ainsi dire, son aînesse de sœur debout, bien portante, libre de ses allées et venues et devant qui M. de Préval avait soulevé son chapeau dimanche dernier. Elle suspendit ses leçons de chant « pour ne pas fatiguer la malade » ; celle-ci cessa pourtant de lui en être reconnaissante en voyant la garde-malade en profiter pour sortir en ville.

— Tiens, tu as encore changé de robe ?

Et de chapeau, et de souliers, et de gants ! Hortense-bis aérait sa garde-robe et bien davantage : sa vie

206

entière, dont il lui semblait par instants (depuis dimanche) qu'elle aussi était confinée dans un placard obscur à la manière de ses habits. Elle faisait le tour de la ville pour acheter deux boutons, et sa sœur, sans le lui dire, fut scandalisée qu'elle ne manquât, aucun de ces soirs, d'aller à la promenade. « Tout comme si je l'accompagnais... » Elle y rencontra plus d'une fois M. de Préval qui la saluait avec, sur tout le visage, un sourire dont Hortense-bis espérait et craignait tout ensemble que les autres passants ne le remarquassent.

Pressentant confusément un danger, l'autre Hortense, qui souffrait davantage de cette séparation que de sa mauvaise grippe, se leva dès qu'elle se sentit en mesure de tenir debout et tenta de reprendre, par lambeaux, leur vie commune.

— Si tu veux chanter ce soir, ma chérie, je crois que j'aurai la force de t'accompagner.

— Sûrement pas ! dit trop vite la « cadette ». (Et elle ajouta hypocritement :) Ce ne serait pas raisonnable...

L'autre insista, du moins, pour faire de nouveau la prière en commun ; et là, devant le crucifix que ses chers parents avaient, l'un et l'autre, tenu entre leurs doigts de marbre, Hortense-bis fut obligée de s'avouer que cette guérison trop rapide la contrariait plutôt.

Pourtant, le Ciel tint moins compte de sa franchise que de sa noirceur car, dès le lendemain, le même microbe la terrassa à son tour. Elle dut s'aliter et sa sœur parut s'en rétablir plus vite. Elle commença de la soigner avec un dévouement excessif ; le sablier se renversait. Pourtant, « l'aînée » ne profita aucunement de sa liberté. Elle rangea de nouveau sous des housses les robes de Hortense-bis et ne sortit pas les siennes. Elle s'interdit toute course inutile et, cela va sans dire, la promenade quotidienne :

— Je ne te quitterai pas, ma chérie ! Sauf pour aller à la messe, bien entendu. Mais, ajouta-t-elle en soupirant, ce ne sera pas tout à fait la messe...

Lorsqu'elle en revint, ce dimanche-là :

— On m'a beaucoup demandé de tes nouvelles ;

mais je me demande s'ils ne nous confondaient pas, une fois de plus, et s'ils ne croyaient pas que c'était ma grippe qui se prolongeait... Comme tu as le visage fatigué, ma pauvre chérie !... (Elle retira son chapeau.) Tiens, ajouta-t-elle du ton le plus indifférent, M. de Préval m'a saluée en souriant. Je me demande bien pourquoi...

Quand Hortense-bis fut remontée du gouffre où ces paroles l'avaient fait sombrer, quand son cœur se fut remis à battre normalement et, désormais, il ne cesserait plus :

— Je me sens mieux, s'entendit-elle dire : je crois que, ce soir, nous pourrons refaire un peu de musique ensemble.

— Oh ! ma chérie, ce ne serait pas raisonnable.

— Si, dit Hortense-bis d'une voix résolue, très raisonnable.

92960

Bizot Fernand, dit « Bulldozer », conducteur atti-
tré de l'engin B. 53, entra en ouragan dans le fragile
bureau du surveillant-chef des chantiers.

— Levasseur, cria-t-il dès le seuil, tu es dingue ou
quoi ?

L'autre achevait de tailler une allumette avec
laquelle il allait enfin pouvoir se curer les dents. C'était
sa récréation matinale ; tous les chantiers étaient attri-
bués et les équipes sur le terrain. Le plan couvert de
surcharges, de traînées de gomme, de notes illisibles à
tout autre que Levasseur, était encore étalé devant lui.
D'un coup d'œil il vérifia : B. 53/Bizot/92960/4ᵉ jour.

— Salut, Fernand. Qu'est-ce qui ne va pas ?

— Mon nom est Bizot ; tu n'es ni mon père, ni
l'instituteur, ni le curé : je ne vois pas pourquoi tu
m'appelles Fernand.

— L'amitié, dit Levasseur en enfonçant son allumette entre ses incisives qui étaient écartées. (Mutilé
du travail, veuf, un enfant mort et l'autre brouillé avec
lui : « Les dents du bonheur », tu parles !) L'amitié,
Bizot : de toute la boîte, quarante-deux pèlerins en
tout, tu es certainement celui qui m'as le plus fait chier.
Vrai ou faux ?

— Vrai, dit Bizot qui était délégué syndical de choc ;
mais tu sais très bien que ce n'est jamais dirigé contre
toi, Levasseur.

— La balle de foot non plus, les joueurs n'ont rien

209

contre elle ! N'empêche qu'ici aussi c'est moi qui prends tous les coups, et depuis treize ans... — Bon, alors il paraît que je suis dingue. On peut savoir pourquoi ?

— Bonneval ! C'est moi que tu charges d'aller *bulldozer* Bonneval !

— Attends voir. 92960, heu... (Il feuilleta un petit annuaire) 92, Hauts-de-Seine, B... B... B... BONNEVAL, 92960. C'est bien ça. « Suppression du hameau pour établissement d'une résidence boisée dite : *Les Hauts de Bonneval.* Piscine, tennis, cannotage. » — Tu as une opposition ?

— Un peu ! C'est mon patelin.

— Ton patelin ?

— Là où je suis né, où j'ai été élevé par mes grands-parents jusqu'à quatorze ans, jusqu'à ce que j'entre en apprentissage pour finir dans cette putain de bordel de boîte qui aujourd'hui me demande de détruire mon propre village !

— Ne t'excite pas, Fernand : il fallait te plaindre à temps au maire, au préfet, au promoteur ou au président de la République. Mais moi (« Aïe ! cette dent me fait mal quand je la touche, et ce n'est pas la première fois... ») Moi, je n'y peux rien. *Les Hauts de Bonneval...*

Sa main plana au-dessus du fouillis de papiers qui encombrait sa table, puis elle y piqua un dépliant en couleur ; il ajusta ses lunettes sur des oreilles qui visiblement ne les aimaient guère et lut sur un ton d'écolier :

— « A vingt minutes de Paris, dans un site encore préservé et hautement historique... »

— Et comment ! Le chancelier de Bonneval, ça ne te dit rien ?

— Rien du tout. Mais, tel que je te connais (il reprit sa lecture), le chancelier, la conjuration de 1612, et même la prise de Bonneval par les Prussiens pendant la guère de 70, tu devrais t'en foutre, Fernand.

— Tu n'as pas de cœur. Tu m'envoies en rigolant bulldozer un cimetière où tous les miens...

— Ne t'en fais pas pour le cimetière : c'est ce que les

promoteurs déménagent et indemnisent en premier. Les morts passent toujours avant les vivants — c'est ça, l'Histoire de France, ajouta-t-il amèrement. D'ailleurs, Bizot, entre nous, si tu avais eu le moindre souci de tes ancêtres, tu serais retourné au cimetière de Bonneval au moins une fois l'an et tu saurais ce qu'il en est...

— Tu ne trouves pas que tu exagères un peu, Levasseur ?

— J'exagère ? Mais ça fait trois semaines que, dans cette baraque, on parle devant toi du 92960. Regarde ! (Il sortit une fiche de son fatras.) 92960 : Travail étalé du 7 au 12 mars : 3 journées de chantier catégorie D., marché N° tant... Bon. Ah, écoute voir ! Démolition. *Aucune récupération.* (Equipe Armand, Ligueil, Rodriguez.) Une journée de bulldozer (B. 53/ Bizot)...

— L'engin passe avant le bonhomme !

— Et enfin une journée de déblai, transports, etc.

— Ne me dis pas que tu n'as jamais entendu parler du 92960 !

— Pour moi, fit lentement Fernand, c'était toujours Bonneval, *Seine-et-Oise.* Les Hauts-de-Seine, ça n'existait pas ; les chiffres non plus...

— Ecoute, Bizot, reprit l'autre après un silence, franchement je suis emmerdé pour toi ; mais ce boulot, il faut bien que quelqu'un le fasse. D'ailleurs, là-bas, tu ne reconnaîtras rien : il ne reste que le quadrillage au sol, avec des vestiges de murettes ici et là...

— Je reconnaîtrai tout, dit Fernand d'une voix altérée.

— En tout cas, tu retrouveras le clocher, poursuivit l'autre qui feuilletait un compte rendu. Nos trois bonshommes ont commencé par démolir le reste de l'église au lieu de débuter par les parties les plus élevées. Ça doit être une idée à Ligueil, grogna-t-il pour lui seul. Bref, une fois le bâtiment par terre, le clocher, qui ne doit pas être jeune et qui n'avait plus d'appui, est devenu tout penché. La tour de Pise, tu vois ce que je veux dire ?

— Et alors, qu'est-ce que j'y peux, moi ?

— Fernand, ne fais pas l'imbécile parce qu'il s'agit de Bonneval ! Une poussée astucieuse avec ton engin, de loin, sans risque, et le clocher ne résiste pas. Tandis que si nos trois zèbres étaient grimpés là-haut, on était sûr d'avoir de la casse.

— Bon, je verrai ça sur place.

Il se dirigeait vers la porte du baraquement ; Levasseur le rappela, l'allumette entre les dents :

— Hé ho ! tâche de cogner sous le bon angle, Bizot, sans ça tu recevras tout sur la gueule et ça me ferait encore des papelards à remplir...

— Connard, répondit seulement Fernand mais avec une sorte de tendresse.

Bizot fit d'abord trois fois le tour de son village à une allure d'enterrement. « Je ne le croyais pas si petit... » La pelle haute, virant brutalement sur ses chenilles, l'engin B. 53 avait la raideur d'un chef militaire passant ses troupes en revue. Troupes de néant : il ne restait guère, de l'ancien Bonneval, que le tracé au sol, en relief, de chacun de ses bâtiments. C'est aussi ce que découvrent les savants quand ils fouillent des sites antiques ; Bizot, intimidé, était l'archéologue de son village d'enfance...

D'abord, il n'avait rien reconnu, rien restitué ; puis ce clocher incliné et les trois marches par où l'on accédait à la mairie (et qui ne menaient plus nulle part) avaient, d'un seul coup, remis en place le plan de l'ensemble. Non ! pas d'un seul coup : Bizot avait dû exhumer de sa mémoire une à une, ses propres réserves. Tiens, là c'était l'épicerie de la mère Garnier... Quoi ! cette mystérieuse arrière-boutique, avec son empilement de caisses et de barils — de quoi nourrir Bonneval des mois durant, pensait le petit Fernand — était donc si exiguë ?... Ici, la maison des parents d'Eliane... Eliane, ses fossettes, ses nattes... Un samedi, Fernand s'était sauvé de sa chambre par la fenêtre, là... non ! ici...

Il n'osait pas s'arrêter, descendre de son engin. Il lui semblait que c'eût été dangereux : terrain miné... Et puis, il ne se sentait plus à l'échelle de ses souvenirs. Ses pas n'étaient plus la bonne unité de mesure : c'est à petites jambes qu'un village d'enfance s'arpente.

Le temps passait. Fernand le ressentit soudain avec une sorte d'angoisse. Il y avait tout ce temps mort, ce village fauché au ras du sol, ces siècles méthodiquement déménagés avec le cimetière. Mais un autre temps courait aussi, celui de tous les jours : celui dont il faudrait rendre compte à Levasseur, qui lui-même en était comptable envers les promoteurs des « Hauts de Bonneval », qui eux-mêmes ne vivaient que de promesses factices et d'ailleurs non tenues.

Fernand changea donc d'allure et commença de détruire. Il y mettait une sorte d'acharnement. Après tout, ces ruines à fleur de terre et les fantômes de leurs habitants, il n'en avait rien à foutre ! Du vivant de sa grand-mère, ces gens ne l'aidaient guère. Une veuve, sans relations, sans ressources... Feu son grand-père s'était fait beaucoup d'ennemis dans le village où l'on disait, en baissant la voix, que c'était un *rouge*. D'ailleurs, il avait connu Jaurès. Du « rouge », il ne restait que cette fourmi noire, sa grand-mère, qui semblait toujours vouloir faire pardonner, par son silence et sa modestie, les outrances de son bonhomme. Tiens, c'était ici le café de la Mairie, siège de la section socialiste locale. Fernand Bizot appuya sur quelques leviers ; son engin broncha sous lui puis effaça le café de la Mairie de la surface du globe. Au passage, Fernand fit sauter les trois marches de la Mairie et puis — autant en finir — la mairie tout entière. Ce n'est qu'ensuite qu'il songea que ses grands-parents s'étaient mariés là, au premier étage. « Aucune récupération », précisait le cahier des charges ; d'ailleurs le secrétaire de mairie avait dû, lui, mettre en sûreté la Marianne crasseuse et les photos des six derniers présidents, le ventre barré de rouge et la main posée sur trois gros livres.

Bientôt, il ne resta plus, dans ce champ labouré qui avait été un petit village comme trente mille autres en France, que les traces de la maison de Mme Veuve Bizot, celles de l'école des garçons, et celles de l'église avec son clocher intact, incliné comme un berger sur son bâton.

Fernand Bizot arrêta son moteur ; le remugle de gasoil et d'huile chaude régna encore quelque temps puis laissa la place à l'âcre relent de ces ruines, de ces siècles d'armoires pleines et d'archives familières dispersées d'un coup. Les choses, comme les humains, ont leur odeur de vieillesse et de mort.

Fernand respira longuement ; il espérait naïvement retrouver les senteurs d'autrefois qui changeaient quand tombait le soir parce que la vraie campagne n'était pas loin. « Allons, se dit-il, tout ça est bien mort, comme grand-mère, *avec grand-mère...* » Cette dernière pensée le consolait, le protégeait un peu du remords qui, sans qu'il comprît bien pourquoi, l'investissait. Il eut l'intention de descendre de son siège dur, puis il y renonça. Là-haut, il se sentait davantage de plain-pied avec sa grand-mère, entre terre et ciel. Il commença de songer à elle avec tendresse. « Il est bien temps ! Au fond, je ne lui ai jamais dit, jamais montré que je l'aimais. Mais est-ce que je le savais seulement ? C'est mon grand-père que j'admirais, dont je prenais la main fièrement, dont j'écoutais les discours. Pourtant, ce n'était qu'un braillard, comme moi ! Tous les matins, grand-mère me conduisait à l'école. (Il considérait de haut cet itinéraire si bref.) Et moi, comme un con, je lâchais sa main pour courir vers les copains, sans même me retourner. Elle devait me suivre des yeux. Dans mon cartable elle avait placé un morceau de pain et du chocolat pour 11 heures. Les autres n'en avaient pas. Qu'est-ce qu'ils sont devenus, les autres ? » Il lui semblait qu'il n'y avait jamais eu qu'une vraie habitante à Bonneval : sa petite grand-mère. Et maintenant, où se trouvait-elle ? « Il faudra que Levasseur demande où ils ont transféré le cimetière. D'ailleurs, ils n'avaient pas le droit d'y toucher sans mon autorisation... »

— Ta gueule ! se dit-il à mi-voix. Tu ne t'es même pas dérangé pour son enterrement... J'étais sur un chantier juteux près de Bordeaux, je me rappelle. Quel salaud ! Une grande gueule, comme grand-père, rien d'autre !

Il essaya de se remémorer l'histoire que grand-mère lui racontait, le soir, quand il ne voulait pas s'endormir — et il y parvint.

— Tu vois ! reprit-il avec un accent de triomphe — mais à qui s'adressait-il cette fois ?

De nouveau, le temps qui passait. « Il faudrait que je me grouille un peu... »

— Oh, et puis merde ! cria-t-il soudain, c'est pas aux pièces que je suis payé pour démolir mon enfance !

Il remit tout de même son moteur en marche et, tout doucement, il commença d'effacer la maison de sa grand-mère. Après douze ans de pratique, il menait son engin comme un cheval de haute école : il obtenait tout de lui à condition de ne jamais le brusquer.

Lorsque plus rien de visible ne demeura du minuscule logis où le petit Fernand avait, sans le savoir, appris à aimer, Bizot-le-grand fit pour la dernière fois le bref trajet jusqu'à l'école des garçons. Puis il se mit à gommer celle-ci avec une sorte de respect : comme s'il essuyait le tableau noir — c'était une récompense à l'époque — sous le regard de l'instituteur.

Il ne restait plus que l'église. Grand-mère s'y rendait tous les dimanches mais n'osait pas y emmener le petit afin de ne pas contrarier son vieux bonhomme. « Elle a eu tort : maintenant je ne sais rien de toute cette histoire, sauf que les curés sont tous des sournois et des exploiteurs. D'accord, poursuivait-il en extirpant et en empilant les dalles usées, mais premièrement, il doit bien y avoir autre chose derrière tout ça. Deuxièmement, sur le chantier Chérault il y avait un prêtre-ouvrier et il n'était pas du tout conforme au modèle. Troisièmement, je ne vois pas pourquoi grand-père m'emmerdait avec son Karl Marx et empêchait grand-mère de me parler de son bon Dieu à elle ! »

Quand il en eut fini avec l'église de Bonneval (et, par bonheur, la pensée que les funérailles de sa petite grand-mère y avaient pris place n'effleura pas son esprit), il s'approcha du fameux clocher et il en fit le tour, très lentement, en connaisseur. Pas tout à fait le tour : il évita de passer dans la direction où celui-ci allait inévitablement tomber.

— Oui, oui, oui... murmura-t-il. Eh bien, mais ce n'est pas très difficile à prendre. Le bon angle c'est... celui-ci. Non ! plutôt celui-là. D'ailleurs, je vais tenter une petite attaque, à bout de benne... (Il le fit.) Voilà ! ça a suffi à l'ébranler. Mais c'était encore un poil trop bas. Vingt centimètres plus haut, la benne aux deux tiers — sans quoi je risque de fausser le piston — et puis le coup du boxeur : « un doublé du droit », et tout s'effondre...

Il prit ses dispositions.

La sonnerie du téléphone fit sursauter Levasseur.

— Ouais... La Centrale de Travaux publics, ouais... Le quoi ? Vous me passez le quoi ? Le brigadier-chef ? Mais qui êtes-vous ?... La gendarmerie d'où ça ?... Le Mesnil ? Dites, allô, allô, allô ! (La voix changea au bout du fil.) Oui, d'accord, le chef de la brigade du Mesnil, et alors ?... 92960 ? Attendez. (Sa main libre fouillait dans le tas de paperasses sur la table ; il avait encore épaissi depuis ce matin.) Oui, c'est bien l'un de nos chantiers en cours d'achèvement. Mais ne me dites pas que... Nom de Dieu !... Comment, ça, la cloche ?... Ils ne l'avaient pas récupérée ? ILS NE L'AVAIENT PAS RECUPEREE !... Hé là, doucement, chef ! Ce n'était pas notre travail : c'est écrit là, sous mes yeux, en toutes lettres : « Aucune récupération. » C'était au promoteur, ou au curé, ou au maire, ou à qui vous voudrez de la retirer, mais pas à nous. D'ailleurs, le faîte est devenu inatteignable, vous le savez sans doute ? Mais comment ça a pu arriver ? Le choc en retour ? L'inertie ? Et le plafond de la cabine de l'engin n'a pas suffi à amortir ?... Comment ? Dites donc, chef, vous pourriez vous servir d'un autre mot ! Il s'agit d'un homme, d'un de mes hommes !... Qu'est-ce que vous dites ? Vous n'utiliserez pas ce terme dans votre rapport ? Il ne manquerait plus que ça !

Levasseur raccrocha d'une main tremblante, trem-

216

blante seulement de fureur, croyait-il. Il se leva et son pas martela le plancher trop sonore.

— « *Ratatiné* » : Répéta-t-il. Quel Sagoin, ce gendarme ! Ratatiné, Fernand.

Il imagina la grosse main tapant à deux doigts son rapport laborieux. Ah ! il allait y en avoir des paperasses ! La gendarmerie, le promoteur, le maire de Bonneval, le préfet, les assurances, l'inspection du travail... De quoi couvrir toute sa table ! Et chacun d'eux essayant de refiler l'ardoise à l'autre et se moquant bien du pauvre Bizot Fernand. Sans parler des syndicats ! « Le patronat assassine une fois de plus... Les *petits chefs* (ça, c'est pour toi, Levasseur) ont choisi le camp du Profit... »

— Mais ça, non, hurla-t-il soudain, je ne laisserai personne m'emmerder autant que toi. Je te le jure, Fernand, jamais personne ne me fera chier autant que toi !

Il demeura haletant et un peu confus. Cet étrange serment de fidélité l'avait épuisé. Intimidé aussi.

Brusquement, une pensée le saisit tout entier. Il devint très rouge, puis très pâle. Dans un meuble bancal il choisit parmi d'autres, non moins cornés et tachés de graisse, l'annuaire téléphonique du département 92.

— Mauricourt... Mercieux... Ah ! voilà : le Mesnil, la gendarmerie. (Il composa le numéro, puis se mit à tambouriner sur la table.) Allô, la gend... Passez-moi le chef !... Je sais, mais passez-le-moi tout de même et en vitesse... La Centrale de Travaux publics, il est au courant...

Il entendit le lourd tic-tac de la machine à écrire cesser au loin, puis des pas aussi lourds, puis la voix.

— Dites-moi, chef, j'ai oublié de vous demander. Ce sera dans le rapport, bien sûr, mais je voudrais le savoir tout de suite, et pas pour les papelards, croyez-moi ! L'engin, lui, à part la toiture, est-ce qu'il est intact ?... Les leviers, le volant, tout ?... En état de marche, vraiment ?

Il jeta le récepteur sur sa table, sans même raccrocher. On entendait la grosse voix à l'autre bout du fil, qui répétait : « Allô, vous êtes toujours là ?... » Mais le cri de Levasseur la couvrit :

— Intacte, cette ordure ! « L'engin passe avant le bonhomme », tu avais raison, Fernand. Les salauds, ils nous posséderont toujours !

*Ils,* c'étaient les machines, les marchands, les patrons, les assurances, et même probablement Dieu le Père. *Ils,* c'était le monde entier sauf deux créatures dont l'une avait été « ratatinée » par la cloche même qui avait sonné le glas de sa grand-mère. Et l'autre venait de se laisser tomber sur cette mauvaise chaise, sa seule compagne, et de jeter par terre, des deux mains, son fatras de papiers : de dégager sa table de vieil écolier afin d'y poser ses bras bien à plat et sa tête par-dessus, de profil, les yeux fermés, inoffensive.

Il aurait voulu *à la fois* pleurer et être consolé. Mais quand on a dépassé un certain âge et qu'on vit seul, c'est beaucoup demander.

# TABLE DES MATIÈRES

*Achevé d'imprimer en janvier 1984*
*sur les presses de l'Imprimerie Bussière*
*à Saint-Amand (Cher)*

Presses
Pocket

8 rue Garancière
75006 Paris
tél. 329 12 80

— N° d'édit. 2042. — N° d'imp. 2406. —
Dépôt légal : janvier 1984.
*Imprimé en France*